sl 2006

GÉMEAUX

GÉMEAUX

22 mai – 21 juin

PATTY GREENALL & CAT JAVOR

Albin Michel

Pour l'édition originale anglaise,
parue sous le titre *Gemini* :
© MQ Publications Limited 2004
Texte © Patty Greenall & Cat Javor 2004

Pour la présente édition :
© 2005 Albin Michel S.A.
22, rue Huyghens, 75014 Paris
www.albin-michel.fr

Traduit de l'anglais par Anne-Emmanuelle Léonard
Illustrations de Gerry Baptist

ISBN : 2 226 15750 6
N° d'édition : 13197
Dépôt légal : novembre 2005

Imprimé en Chine

QU'EST-CE QUE L'ASTROLOGIE ?

L'astrologie consiste à interpréter les positions et mouvements des corps célestes afin de découvrir ce qu'ils nous apprennent sur la vie terrestre. Plus précisément, il s'agit d'étudier les cycles du Soleil, de la Lune et des autres planètes du système solaire, ainsi que leurs trajectoires dans les douze signes du zodiaque – Bélier, Taureau, Gémeaux, Cancer, Lion, Vierge, Balance, Scorpion, Sagittaire, Capricorne, Verseau et Poissons –, ce qui constitue pour les astrologues une mine d'informations et de significations riches et variées.

Bien que l'astrologie puisse être perçue comme une science, une discipline occulte, une religion ou un art, aucune de ces étiquettes ne la résume à elle seule. Peut-être vaut-il mieux simplement la définir comme une pratique en constante évolution. Dans le monde entier, et aussi loin que nos connaissances historiques nous permettent de le vérifier, on a toujours scruté le ciel en associant toutes sortes d'histoires et de significations à ce que l'on y observait. Les peuplades néolithiques européennes ont construit de colossales structures de pierre, telles que

Stonehenge dans le sud de l'Angleterre, afin de mesurer les cycles du Soleil et de la Lune dont l'importance était alors cruciale pour une agriculture encore balbutiante. Les traditions d'observation des étoiles des premières cultures se retrouvent aussi bien en Inde, en Chine, en Amérique du Sud ou en Afrique que chez les aborigènes australiens. Dans l'Égypte antique, on guettait l'ascension de l'étoile Sirius qui annonçait la crue annuelle du Nil, tandis qu'à Babylone les prêtres astronomes pratiquaient la divination pour servir leur souverain et leur pays. Depuis sa naissance, l'astrologie s'est développée, modifiée et diversifiée jusqu'à devenir un immense puits de savoir que nombre d'hommes et de femmes ont contribué à remplir au cours de l'histoire. Elle a continué à évoluer, à s'enrichir et à multiplier ses connaissances malgré certaines époques d'impopularité dues aux croyances religieuses, scientifiques ou politiques du moment. L'astrologie nous permet de mieux nous connaître nous-mêmes. Elle nous offre une vision approfondie de ce qui motive, anime ou parfois même handicape notre capacité à être ce que nous sommes vraiment. Enfin, elle nous arme pour mieux faire face aux décisions et aux choix auxquels nous sommes quotidiennement confrontés. C'est un outil merveilleux qui s'adapte aussi bien à la vie de tous les jours qu'à notre perception du monde extérieur. L'horoscope – ou thème astral – est le principal outil de l'astrologue. On le calcule en prenant note des positions du Soleil, de la Lune, de Mercure, Vénus, Mars, Jupiter, Saturne, Uranus, Neptune et Pluton au moment de la naissance d'une personne. Toutes les planètes ont leur propre domaine, leurs affinités et leur signature énergétique. Leurs aspects et les relations qu'elles entretiennent entre elles révèlent une fabuleuse quantité d'informations. Le signe de naissance, ou signe solaire, est celui que le Soleil traversait au moment où le sujet était mis au monde. La signature énergétique du Soleil est liée à la sensation d'être unique et à l'estime de soi. Se sentir un individu important et créatif est un besoin fondamental et le signe solaire d'une personne représente la façon dont cette nécessité se manifeste le mieux chez elle. C'est d'ailleurs l'un des facteurs les plus significatifs pour l'astrologue. Chacun des douze signes du zodiaque dispose d'une myriade de manières d'exprimer son sens profond. Plus on en apprend sur son signe solaire, plus on est à même d'exprimer sa personnalité unique.

LA ROUE DU **ZODIAQUE**

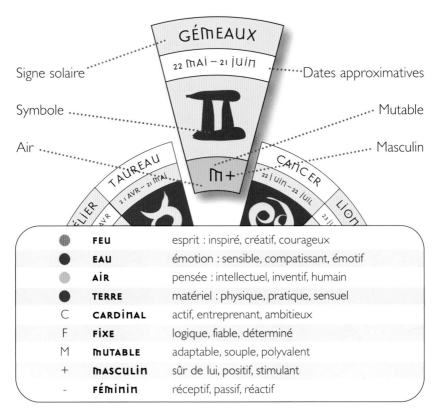

Signe solaire

Symbole

Air

Dates approximatives

Mutable

Masculin

GÉMEAUX

22 MAI – 21 JUIN

TAUREAU

21 AVR – 21 MAI

CANCER

22 JUIN – 22 JUIL

LION

BÉLIER

●	**FEU**	esprit : inspiré, créatif, courageux
●	**EAU**	émotion : sensible, compatissant, émotif
●	**AIR**	pensée : intellectuel, inventif, humain
●	**TERRE**	matériel : physique, pratique, sensuel
C	**CARDINAL**	actif, entreprenant, ambitieux
F	**FIXE**	logique, fiable, déterminé
M	**MUTABLE**	adaptable, souple, polyvalent
+	**MASCULIN**	sûr de lui, positif, stimulant
-	**FÉMININ**	réceptif, passif, réactif

PREMIÈRE PARTIE
ÊTRE GÉMEAUX

İNFLUENCES

Le signe des Gémeaux est le troisième signe du zodiaque, le premier des signes d'air, et il est gouverné par la planète Mercure. Il est symbolisé par les Jumeaux (symbole humain plutôt qu'animal) qui représentent l'intellect, le contact social et la communication. Il existe des correspondances dans la vie terrestre pour chacun des signes solaires. Les parties du corps humain représentées par le Gémeaux sont les bras et les mains. Les pierres précieuses qui lui sont associées sont l'agate, la marcassite et l'alexandrite, qui passe du rouge au vert suivant qu'elle est exposée à une lumière naturelle ou artificielle. Le signe des Gémeaux est un signe mutable et masculin. Il est le signe des collines, des montagnes, des lieux de stockage, des livres, des voitures, des courts voyages, du courrier, de la communication, des écrivains, des journaux, des commérages et des bavardages, aussi bien que celui des papillons, des singes et des souris, de la tanaisie, de la verveine, du chèvrefeuille et de la mille-feuille.

ÉLÉMENTS TRADITIONNELLEMENT ASSOCIÉS AU
GÉMEAUX

Sur le corps humain, le Gémeaux
représente les bras et les mains.

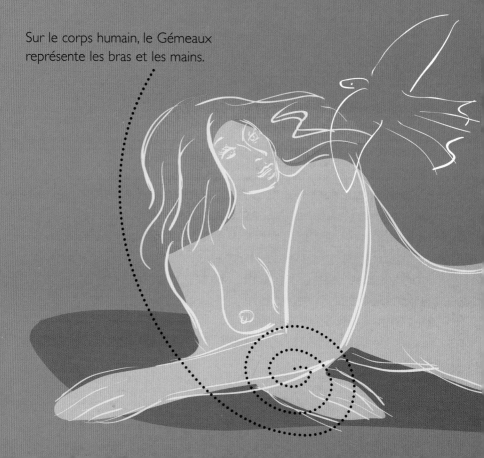

Voitures, courts voyages

Livres

Écrivains

PERSO●NNALITÉ

Celui qui est né sous le signe des Jumeaux célestes donne souvent l'impression d'abriter deux caractères distincts. Astrologiquement parlant, le Gémeaux fait partie des signes doubles. Ainsi, son comportement varie selon la perspective qu'il adopte à un moment donné. Peut-être serait-il plus juste de le décrire comme « multifacettes », à l'instar des pierres précieuses taillées pour réfléchir la lumière sous plusieurs angles. Versatile, il s'adapte facilement et c'est un spectacle fascinant de le regarder passer, tel un caméléon, d'une opinion à une autre. Ce qui peut également devenir incroyablement confus, voire exaspérant pour ceux qui veulent le cerner. Le Gémeaux, en effet, peut défendre un jour un point de vue et, avec la même conviction, son contraire le lendemain. Il excelle dans les débats, mais il est préférable de ne pas engager de discussion avec lui si vous n'appréciez pas les pirouettes de langage. Si vous avez une position à défendre, il est toujours utile d'avoir un Gémeaux dans votre camp. Non qu'ils cherchent la dispute, simplement ils adorent argumenter, et espèrent que les autres y prennent aussi du plaisir. Ils ne sont jamais lassés d'une discussion, quelle que soit son intensité, et cela leur est égal de perdre une joute verbale (bien que cela se produise rarement).

On accuse quelquefois le Gémeaux de mentir ou de déformer la vérité. Cela peut arriver, certes, mais ce n'est pas sa faute ! Celui qui gouverne son signe, Mercure, « le messager des dieux aux pieds ailés », n'était-il pas surnommé « l'escroc » ? La planète Mercure est suffisamment proche de la Terre pour être visible, mais presque imperceptiblement : on ne peut pas toujours l'apercevoir.

Cela est dû, entre autres, à sa relative proximité avec le Soleil. Qui plus est, le mercure, aussi appelé vif-argent, est un métal qui brille et étincelle, mais qui possède la faculté de se rétracter en un éclair. Tout cela contribue à expliquer le caractère changeant du Gémeaux. Cependant, lorsqu'il affirme une chose, il est sincère (sauf, bien sûr, quand il s'amuse délibérément à tromper son monde) ! Le vrai problème est de savoir quelle idée il défendra demain. Quand il change d'opinion, il se défend en arguant que le monde change aussi et que nous apprenons constamment… comment peut-on, dès lors, obstinément camper sur les mêmes positions ?

On doit également au dieu Mercure l'invention du langage et, dans ce domaine, le Gémeaux brille par son talent d'imitateur et ses dons pour les langues étrangères. Il apprend vite et est bon pédagogue, mais sa patience a des limites ! Il laissera vite de côté quelqu'un d'un peu lent à comprendre. Le Gémeaux est toujours désireux d'explorer de nouveaux territoires pour assouvir sa soif de connaissances.

Sa vivacité d'esprit est remarquable ; tout l'intéresse, du moins jusqu'à ce qu'une nouveauté capte son attention. Même lorsqu'il parle à toute allure, ce qu'il fait souvent, son cerveau travaille en même temps sur au moins trois autres idées. La façon dont il suit une idée et fait le lien entre deux sujets disparates a de quoi déconcerter la plupart des mortels à l'esprit plus lent.

Le Gémeaux adore les débats animés et les commentaires intelligents. Il fait généralement un merveilleux interlocuteur aux réparties spirituelles et aux plaisanteries brillantes. Il a son mot à dire sur tous les sujets et sait poser la question pertinente qui mettra en valeur ses connaissances. En fait, une seule chose le passionne réellement : communiquer ses idées. Et évidemment, il est très fort à ce jeu-là. Intelligent, loquace, stimulant, il aime la provocation. Il est donc rare qu'un silence embarrassant s'installe en sa présence. La fête ne saurait être complète sans un Gémeaux plein d'entrain !

Comme toute médaille a son revers, le Gémeaux manque de patience ; il est aussi prompt à s'ennuyer qu'un enfant de deux ans. Heureusement, sa réelle gentillesse et son bon caractère lui permettent de fuir avec tact une conversation assommante ou inintéressante. Il détesterait choquer ou blesser par ses propos ou ses manières. Il en éprouverait du remords, sentiment auquel il a du mal à faire face. Il préfère de beaucoup rester dans le registre de la gaieté et de la désinvolture, de la légèreté et de la facilité, c'est pourquoi on ne le prend guère en flagrant délit de grossièreté. En fait, les Gémeaux font d'excellents diplomates : ils sont rarement à court d'arguments et leur grand sens de l'humour met généralement leur interlocuteur rapidement à l'aise. Un fait nouveau, inédit, excitant, séduira ces amateurs de sensations fortes incapables de rester en place très longtemps. Ils sont toujours en train de courir à droite, à gauche, pour faire une course ou simplement respecter leur emploi du temps surchargé. Ils sont actifs et particulièrement habiles de leurs mains. S'ils ne sont pas en train d'écrire un article, une lettre ou un e-mail, ils pianotent sur la table, se rongent les ongles ou jouent d'un instrument. D'un tempérament nerveux, ils sont constamment à la recherche de sujets suffisamment complexes pour défier leur compréhension. Ils parlent beaucoup avec les mains et la gesticulation est incontestablement une de leurs caractéristiques.

CARRIÈRE ET **ARGENT**

Le domaine professionnel est vraiment celui où le Gémeaux se distingue. Sa capacité d'adaptation est telle qu'il est capable de réussir à peu près n'importe quoi. C'est l'homme à tout faire par excellence, et c'est cette polyvalence qui lui apporte le succès. Ses possibilités semblent infinies. Une entreprise a tout à gagner à avoir un Gémeaux dans ses rangs. Grâce à sa nature dualiste, il traite facilement plusieurs choses à la fois, apprend vite et travaille rapidement. Efficace, productif, intéressé par tout ce qu'il décide d'entreprendre, il est capable de travailler deux fois plus vite que n'importe qui. Et que fait-il de tout ce temps économisé ? Il ne supporte pas l'oisiveté, et si l'on ne lui donne rien à faire, il trouvera seul de quoi s'occuper. Au mieux, il encouragera ses collègues à travailler à coups de discours stimulants. Cela peut, il est vrai, s'avérer énervant pour ceux qui ont du mal à suivre ! Au pis, il fera des jeux sur l'ordinateur, passera des coups de fil ou ira bavarder dans la salle de repos. Mais on ne peut le blâmer de faire des pauses, car tout son travail est terminé !

Si c'est lui le patron, alors c'est une autre histoire. Diriger est moins un problème pour le Gémeaux que pour ses subordonnés. Ce n'est pas facile de suivre son rythme ni le cheminement de sa pensée. Pour ceux qui mettent du temps à saisir un concept nouveau, le patron Gémeaux, avec ses raisonnements alambiqués, peut sembler fantasque. Mais ceux qui sont assez tordus pour capter ses éclairs de génie partageront avec lui les lauriers de la gloire aussi longtemps qu'ils ne se laisseront pas distancer. Les Gémeaux sont des vendeurs nés, qu'ils vantent leurs propres mérites pour obtenir un poste important ou qu'ils persuadent un quidam d'acheter une chose dont il n'a nul besoin. Leur don de persuasion s'exerce aussi bien pour vendre une voiture qu'une idée. Ils savent anticiper, ce qui leur permet d'avoir toujours une longueur d'avance pour contrer les objections que l'on pourrait leur faire. Ils sont souvent également à la pointe de la technologie. Ils font d'excellents écrivains, journalistes, reporters, instituteurs, secrétaires, messagers, marchands et mathématiciens.

En ce qui concerne l'argent, les Gémeaux sont aussi capables d'en gagner que n'importe qui, mais quelle que soit leur fortune, leur compte en banque semble subir plus de variations que la moyenne. C'est peut-être parce qu'ils n'hésitent pas à prendre des risques, quitte à ne pas gagner à tous les coups. Quelle que soit l'issue, ils vont de l'avant sans perdre leur temps en regrets. Pourtant, ils manquent un peu de persévérance et d'endurance. Quand ils arrivent à combiner ces deux qualités avec leurs dons intellectuels, alors le monde leur appartient.

L'ENFANT GÉMEAUX

L'esprit de contradiction de l'enfant Gémeaux est visible dès l'instant où il vient au monde. Lorsque papa et maman veulent le coucher, il a envie de jouer ; quand c'est l'heure du repas, il a sommeil, et en pleine séance de bébés nageurs, il hurle de faim. Et juste au moment où ses parents parviennent enfin à calquer leurs horaires sur le sien, il reprend un rythme de vie normal. Dès qu'il commence à marcher et à parler, ce qu'il fait plus tôt que la plupart des autres enfants, il devient impossible à canaliser. Il donne l'impression d'être à deux endroits à la fois. Il est tranquillement assis à regarder un livre et, l'instant d'après, il a vidé le placard de la cuisine. L'enfant Gémeaux va de découverte en découverte ; tout ce qui capte son attention demande une investigation plus poussée. Son petit esprit curieux a besoin d'une stimulation constante, et comme il est stimulé par tout ce qui l'entoure, il touche à tout et va partout.

Le petit Gémeaux est sans arrêt en train de demander « pourquoi ? », mais il ne reste pas assez longtemps pour écouter la réponse. Cela peut devenir un problème majeur pour son éducation. Il est en général très doué pour apprendre à lire et à écrire, mais dès lors qu'il a acquis les bases, il ne cherche pas à approfondir et à entrer dans les détails. Cependant, il est si malin qu'il arrive, d'une manière ou d'une autre, à dissimuler ses éventuelles lacunes à ses professeurs. Sa bonne humeur, sa gentillesse et son imagination fertile font de l'enfant Gémeaux un camarade de jeu très apprécié : il vit entouré d'amis. Mais à l'entrée dans la puberté et l'adolescence, son esprit vif et souvent changeant peut devenir un handicap, lui rendant difficile toute prise de position. Ce qui peut entraîner une humeur maussade et instable, et développer chez lui un fort esprit de contradiction. Pour éviter cela, il faut lui faire comprendre qu'il est souvent plus bénéfique de choisir une voie et de la suivre en s'adaptant aux circonstances, plutôt que de peser indéfiniment le pour et le contre et de ne rien faire au bout du compte. Cependant, avoir un de ces enfants enjoués et joueurs auprès de soi est un grand plaisir. Sa vitalité insuffle une seconde jeunesse à tout son entourage.

LE **CADEAU** IDÉAL

Choisir un cadeau pour un Gémeaux relève un peu de la loterie. Il est difficile de prévoir ce qui va lui plaire : il s'agit de capter l'attention de cet esprit éternellement jeune et vif. Le Gémeaux adorera un cadeau branché, un peu voyant ; pourtant, acheter le dernier gadget à la mode ne vous garantira pas le succès, car il y a des chances qu'il l'ait déjà repéré et se le soit procuré.

Puisque les Gémeaux sont gouvernés par Mercure, la planète des communications, un cadeau qui l'aidera à rester en contact avec les autres devrait faire l'affaire. Si vous voulez lui offrir un vêtement ou un accessoire, gardez à l'esprit que les Gémeaux sont associés aux bras et aux mains, pensez aux gants, aux bagues, à une montre tendance, ou à un jeu de bracelets. Pour madame Gémeaux, un ensemble de manucure, une collection de vernis à ongles seront toujours les bienvenus, tandis que des livres, des stylos ou du papier à lettres rendront n'importe quel Gémeaux heureux. Si vous cherchez un cadeau un peu plus original, une lampe qui change de couleur ou une voiture téléguidée le feront toujours sourire, tandis qu'un jeu ou un puzzle retiendront son attention (pour au moins une journée). Ce qu'il faut éviter ? Les cadeaux inutiles : ils sont sûrs de finir dans une vente de charité.

À TABLE

La variété est le piment de la vie pour le palais du Gémeaux. Ce dont il a terriblement envie aujourd'hui ne lui dira sûrement plus rien demain. Bien sûr, il a ses plats favoris, mais il préfère établir un roulement, découvrir de nouvelles saveurs, avant de revenir à ses mets préférés pour les redécouvrir à l'infini. Impossible de deviner d'une fois sur l'autre ce qui va titiller ses papilles : il ne le sait pas lui-même. Pendant un dîner, un Gémeaux bavarde tant qu'il lui arrive de ne pas toucher à ce qu'il a dans son assiette, ou bien de ne prêter aucune attention à ce qu'il avale. Mais il semble avoir un instinct très sûr pour bien se nourrir et manger ce dont son corps a besoin au moment où il en a besoin. Le Gémeaux a la particularité d'avoir un appétit très variable : il peut manger jusqu'à éclater à un repas, et à un autre, picorer comme un moineau.

Normalement, le Gémeaux adore ses céréales du matin, mais s'il n'a pas le temps de s'asseoir, il va joyeusement grignoter à la va-vite une barre préemballée. Évidemment, la meilleure nourriture préemballée est celle que mère nature emballe elle-même, par conséquent, vous trouverez souvent un fruit dans la poche ou dans le sac d'un Gémeaux en vadrouille. Il aime particulièrement dîner dans les restaurants qui offrent un buffet de plats épicés, dont les saveurs exotiques répondent à son besoin de varier les plaisirs.

MODE ET **STYLE**

« Mélanger et assortir », telle est la phrase qui résume le style Gémeaux. On le verra très rarement porter deux fois la même tenue. En combinant à l'infini tous ses vêtements, il donne l'impression d'avoir la plus vaste garde-robe de la ville. Rappelez-vous, le Gémeaux est malin, et cela vaut aussi pour le choix de ses habits. Il se lasse de ses vêtements comme de tout le reste, c'est pourquoi il suit les caprices de la mode. Il aime s'habiller selon les nouvelles tendances, tout en étant assez intelligent pour garder un style personnel. Quand il est jeune, il n'est pas rare qu'il possède de pleines armoires de vêtements bon marché qui feront une saison avant d'être démodés. En vieillissant, le Gémeaux passe moins de temps dans les boutiques pour satisfaire ses envies de nouveautés.

Quels que soient la mode, la saison ou le tissu choisi, les vêtements des Gémeaux comportent toujours une touche claire, printanière. Sils s'habillent avec des couleurs plus sombres, plus ternes, ou en noir, ils auront intérêt à utiliser des accessoires aux couleurs vives et pimpantes. Le blanc et le jaune leur vont très bien ; le bleu ciel et le rose clair sont parfaits.

LA MAISON IDÉALE

En un mot, l'habitation d'un Gémeaux ressemble à une ruche. Non que lui-même soit toujours en mouvement (bon, c'est vrai, il a tendance à être remuant), mais parce que sa maison est un véritable hall de gare, pleine d'allées et venues, de rencontres, de discussions amicales, d'échanges d'idées. Bizarrement, les Gémeaux gardent leur maison bien rangée, chaque chose à sa place. Ils y sont contraints, sans quoi ils vivraient au milieu d'un capharnaüm de factures, messages, modes d'emploi et autres paperasses.

Cette maison est plus proche de la chambre d'hôtel que du nid douillet : on y trouve tous les équipements et le confort que l'on exigerait pour un court séjour. C'est un endroit propre et soigné où tous sont les bienvenus, mais où certains ne se plaisent pas, faute de calme. Les Gémeaux ont besoin de tranquillité et de sommeil, mais ils se passent facilement du confort. Leur appétit pour les nouveautés et les endroits différents leur permet de vivre à peu près n'importe où !

DEUXIÈME PARTIE

LES ASCENDANTS

QU'EST-CE QUE L'**ASCENDANT**?

Votre ascendant est le signe du zodiaque qui se levait à l'horizon Est au moment et depuis le lieu de votre naissance. Il faut environ deux heures et demie à chaque signe pour accomplir son ascension – c'est-à-dire approximativement un degré toutes les quatre minutes. À cause de sa grande vitesse de déplacement, l'ascendant représente une partie très personnelle de l'horoscope. Par conséquent, même si deux personnes sont nées le même jour de la même année, leurs ascendants en feront des individus très différents.

Il est plus facile de comprendre l'ascendant lorsque le thème astral est présenté sous la forme d'une carte circulaire du ciel. Imaginez l'ascendant sur le point le plus à l'est du cercle. Le Soleil se couche juste en face – c'est le descendant. Le haut du tableau représente la partie du ciel où le Soleil atteint son point culminant à midi, alors que le bas représente celle où il se trouve à minuit. Ces quatre points divisent le cercle – le thème – en quatre parties. Ces quartiers sont ensuite divisés chacun en trois, de façon à obtenir douze tranches appelées « maisons ». Chacune représente un aspect de la vie. Votre ascendant correspond à la première d'entre elles et permet de déterminer quel signe occupait chacune des onze autres maisons au moment de votre naissance.

Cela crée d'importantes différences astrologiques d'une personne à l'autre : les natifs du Gémeaux sont loin de tous se ressembler ! Les ascendants donnent un aperçu de l'apparence d'un individu. Par exemple, les sujets ayant pour ascendant le Lion, symbole de royauté, ont probablement une démarche noble et constatent régulièrement qu'on les aborde avec la déférence ordinairement réservée aux souverains. Les ascendants Poissons, de leur côté, affichent la plupart du temps une apparence douce et sensible qui leur vaut souvent de recevoir les confidences de leur entourage.

L'ascendant joue un rôle primordial dans l'ensemble du thème astral. Il doit être étudié en combinaison avec le signe solaire et toutes les planètes.

LES **ASCENDANTS** DU GÉMEAUX

Pour calculer votre ascendant, il est important de connaître l'heure exacte de votre naissance. Le calcul se fait toujours par rapport au méridien de Greenwich. Si vous êtes né en France, référez-vous au tableau des pages 38 et 39. Si vous êtes né ailleurs dans le monde, les tableaux suivants vous aideront dans votre calcul. Choisissez le tableau le plus proche de votre lieu de naissance et, si nécessaire, ajoutez ou soustrayez le nombre de fuseaux horaires qui l'en séparent. Utilisez ensuite une règle pour déterminer avec précision le point où votre heure et votre date de naissance se croisent – celui-ci indique votre ascendant. De nombreux sites Internet proposent aussi, gratuitement, un calcul précis et immédiat de votre ascendant.

GÉMEAUX ASCENDANT **BÉLIER**

Y Le Gémeaux ascendant Bélier est intellectuel jusqu'au bout des ongles. Même s'il n'aime pas l'école ni toute autre forme d'apprentissage institutionnalisé, il passe son temps à amasser et à classer des informations depuis le jour de sa naissance. Très débrouillard, il sait flairer une opportunité à des kilomètres à la ronde et en tirer profit avant que quiconque ait eu le temps de dire « quelle bonne idée ! ». Il a l'esprit d'observation et discute avec verve et enthousiasme. Le Gémeaux ascendant Bélier aborde la vie avec énergie et espièglerie. Il a l'esprit vif, mais se plaît tellement en société qu'il en use très rarement avec cruauté ou méchanceté. Ses observations vont droit au but, mais ses intentions sont bonnes. Il paraît éternellement jeune quel que soit son âge et est toujours prêt à relever de nouveaux défis, surtout d'ordre intellectuel. Il aime s'amuser jusqu'à l'excès et pourtant s'intéresse sincèrement aux gens et aux choses qui l'entourent. Il est également ambitieux, courageux et ingénieux.

GÉMEAUX ASCENDANT **TAUREAU**

Ö La ténacité apportée par l'ascendant Taureau est une précieuse qualité pour un Gémeaux. Ainsi, en plus d'être rapide et intelligent, cet individu possède la calme détermination qui lui permet de mener à terme ses excellentes idées. Brillant, sociable, persévérant, il allie l'ingéniosité au sens pratique. C'est un mélange détonant, particulièrement si le Gémeaux ascendant Taureau utilise ces qualités pour faire fortune. Il a la fibre du commerce et sait d'instinct ce que désire le public. Amateur d'art, de beauté et de luxe, il est créatif tant sur le plan intellectuel que sur le plan manuel. Il est également doué pour la communication, et est aussi véhément que les autres Gémeaux, bien qu'il préfère prendre le temps de réfléchir avant de parler. Il a une façon charmante et sincère de s'exprimer, qui le fait aimer des autres et encourage les confidences. Peut-être se laisse-t-il un peu trop aller à faire la fête… Il traverse des périodes d'agitation intense qui nécessitent de longues plages de récupération. Mais c'est moins un défaut qu'une raison supplémentaire de l'apprécier.

GÉMEAUX ASCENDANT **GÉMEAUX**

Quand l'ascendant Gémeaux vient s'ajouter à la personnalité déjà très active du Gémeaux, celui-ci vibre littéralement d'enthousiasme et laisse éclater sa verve. Tel un gymnaste survolté, il se livre à des acrobaties aussi bien physiques que mentales qui donnent l'impression au reste de l'humanité d'avoir deux pieds gauches et une sévère gueule de bois ! Élégant et adroit, c'est le touche-à-tout par excellence, capable de faire trente-six choses à la fois. Le Gémeaux ascendant Gémeaux est imaginatif, inventif, ambitieux et sa soif d'informations semble insatiable. Il ferait un très bon rédacteur de chroniques mondaines, car il est fasciné par la vie des autres et, qui plus est, c'est un très bon conteur. Il s'arrange presque toujours pour faire ressortir le côté burlesque d'une anecdote. Enjoué et aimant s'amuser, il fuit tout ce qui pourrait entraver sa quête d'expériences nouvelles et excitantes. Il ne tient pas en place, toujours à la recherche de nouveaux sujets d'étude et de nouveaux plaisirs à découvrir. Si de temps à autre il est anxieux ou à cran (ce qui est pratiquement inévitable), il ressent alors une immense fatigue. Heureusement, il récupère en un clin d'œil et reprend très vite ses vieilles habitudes.

GÉMEAUX ASCENDANT **CANCER**

Le caractère instable du Gémeaux est accentué par l'ascendant Cancer, ce qui est à la fois une bénédiction et une catastrophe. Comme il change sans cesse de direction, il se trouve toujours face à de nouvelles opportunités que son intelligence et son instinct affûté lui permettent de saisir. Très jeune, il comprend que chaque chose vient en son temps, mais cet individualiste brillant et ambitieux a du mal à attendre son tour. Il a surtout la chance de savoir faire face à toutes les situations et de profiter de ce que la vie lui envoie, tout en restant optimiste et performant. Attaché à la maison et à la famille, il peut pourtant s'adapter à n'importe quel environnement. Sociable, charmant, il éveille naturellement l'intérêt de tous ceux qu'il rencontre. Le Gémeaux ascendant Cancer a un côté très romantique et une imagination fertile qui font de lui un maître dans l'art de s'inventer des mondes oniriques. Spirituel et intelligent, c'est un redoutable séducteur.

GÉMEAUX ASCENDANT LION

La noblesse que l'ascendant Lion prête au Gémeaux rend ce personnage affectueux, généreux, plein d'humour, à la fois drôle et pince-sans-rire. Prompt à rire et à sourire, le Gémeaux ascendant Lion est franc, direct, et a des idées bien arrêtées. Il aime être entouré de ses nombreux amis, pour échanger des idées et leur renvoyer des plaisanteries comme des balles de ping-pong. Cet être charmant et chaleureux attire l'attention par ses remarques brillantes et par sa perspicacité. Il est un peu philosophe, comme si les merveilleuses idées qu'il a en tête devaient donner naissance à une ère nouvelle. Il semble avoir pour mission sur Terre la reconstruction de tout ce qui est terne, sombre ou ennuyeux. Sa vie doit être pimentée par quelques brillantes intrigues intellectuelles et agrémentée d'une touche d'opulence. Il est plus consciencieux et plus appliqué dans l'obtention de ses objectifs que les autres Gémeaux ; pourtant, il garde constamment l'esprit ouvert aux idées nouvelles. Il ne se laisse pas entraîner dans la mesquinerie et la banalité, mais entend se distinguer dans des domaines beaucoup plus nobles – et c'est d'ailleurs souvent ce qu'il fait.

GÉMEAUX ASCENDANT VIERGE

Le Gémeaux à l'esprit vif devient plus contemplatif sous l'influence de la Vierge. Cela n'enlève rien à ses grandes capacités intellectuelles, puisque la Vierge est également gouvernée par Mercure. Le Gémeaux ascendant Vierge est plus appliqué et plus endurant que les autres Gémeaux, ce qui augmente son adresse dans la pratique de ses activités. Moins pressé de sauter aux conclusions et plus consciencieux dans son apprentissage, il possède des atouts pour laisser une trace dans l'histoire. Sa réussite dans les domaines universitaires et littéraires est reconnue ; mais si son intérêt se porte sur le monde des affaires, il peut devenir un financier influent. Plein de vie et modeste, gentil, malicieux et spirituel, c'est un intellectuel presque malgré lui. Ses conversations sont stimulantes et cultivées, ses remarques mesurées et judicieuses. Sa compagnie est agréable, il sait lancer une plaisanterie au bon moment, se montre serviable et d'un grand soutien pour les autres. Son ambition n'en est pas moins féroce quand il s'agit d'atteindre le but qu'il s'est fixé. Il peut être parfois très tendu, mais cette énergie et cette nervosité sont le moteur de ses succès.

GÉMEAUX ASCENDANT **BALANCE**

Que voilà un être plaisant, aussi agréable à regarder que merveilleux à écouter ! La Balance ajoute une certaine douceur au caractère Gémeaux et le rend particulièrement facile à vivre. Très équitable, il possède un sixième sens pour déceler ce dont les gens ont besoin. Ces qualités font de lui un excellent diplomate. Il s'investit avec enthousiasme dans les histoires d'amour, et il est très rare de voir un Gémeaux ascendant Balance rester célibataire très longtemps. Il aime être amoureux et adore être l'objet d'attentions, car cela flatte son ego. Gai, facile à vivre, excessif et espiègle, il est très créatif, excelle dans la comédie et l'art, et se montre aussi très gentil avec les enfants. Tout ce qu'il fait doit refléter sa vraie personnalité, il ne se contente pas de banalités. Apte à profiter au maximum de ses plaisirs, il sait ce qu'il attend de la vie et c'est tout ce qui lui importe.

GÉMEAUX ASCENDANT **SCORPION**

Le Gémeaux ascendant Scorpion exerce un magnétisme très puissant. À cause de sa nature énigmatique, il est difficile de le cerner, et encore plus de deviner le fond de sa pensée. D'une nature secrète, il ne voit pas d'inconvénient à ce que les autres le soient aussi. Les gens sont attirés vers lui comme par une force supérieure. Aussi vif et intelligent que tous les Gémeaux, il a en plus le don de saisir les choses sans que l'on ait besoin de les lui expliquer. Son esprit d'analyse est incroyablement développé et il sait très bien l'utiliser dans sa profession. Il aime le travail de bureau, la manipulation des chiffres, les enquêtes. Ce Gémeaux-là aime particulièrement ce qui a trait au corps (à l'intérieur comme à l'extérieur). Il a des dispositions pour les professions médicales, mais aime surtout s'occuper de lui-même. Après son jogging quotidien, il prend ses vitamines, enchaîne avec une petite séance d'acupuncture et, ensuite seulement, partira affronter le monde. S'il existe des Gémeaux capables un tant soit peu de suivre un programme, ce sont les ascendants Scorpion. Pour le reste, ils peuvent paraître un peu désinvoltes, mais lorsqu'il s'agit d'hygiène de vie, ils sont réglés comme du papier à musique.

GÉMEAUX ASCENDANT **SAGITTAIRE**

Les relations avec les autres sont primordiales chez le Gémeaux ascendant Sagittaire, et pourtant son plus grand défi sera de se trouver lui-même. Tous les Gémeaux sont influencés par leur entourage, mais c'est encore plus vrai pour lui. Il doit prendre conscience de sa propre valeur, sinon il peut finir par projeter ses plus grandes qualités sur quelqu'un d'autre. Son talent pour raconter des blagues, qu'il ne faut pas sous-estimer, fait de lui un vrai boute-en-train ! Parfois un peu trop franc et désinvolte, il peut ainsi paraître superficiel. Si cet aspect de son caractère prédomine, cela peut le conduire à mener une existence frivole, mais la personnalité du Gémeaux ascendant Sagittaire est toujours à double face. Il est intelligent, facile à vivre et aime vivre en société. Si, dans son désir d'identification, ils prend pour modèle des personnages importants (ce qui arrive souvent, étant donné son discernement), alors ce choix lui sera bénéfique d'une manière ou d'une autre.

GÉMEAUX ASCENDANT **CAPRICORNE**

Ne le jugez pas sur son apparence ! Le Gémeaux ascendant Capricorne peut sembler prendre les choses un peu trop au sérieux, mais n'ayez crainte ; derrière cette gravité se cache toujours un Gémeaux bavard et décontracté. Il est intuitif, mais doute de ses capacités, ce qui le fait paraître timide ou en retrait. Les Gémeaux ascendant Capricorne font de grands magiciens ou de grands psychologues, mais leur instinct aiguisé fait aussi merveille dans la finance et les marchés boursiers. Cette description ne serait pas complète si l'on ne mentionnait pas leur pouvoir de séduction. Ce sont des êtres sensuels qui aiment particulièrement les jeux d'alcôve. Ils sont charmeurs et leur simple présence a un effet excitant sur leur entourage. Ils se donnent à cent pour cent et ne sont jamais fatigués. Ils n'hésitent pas à être calculateurs pour servir leurs intérêts, ce qui est tout compte fait une bonne chose, bien que cela leur vaille parfois une mauvaise réputation. Cependant, la métamorphose est un des thèmes récurrents de leur vie ; ils aiment transformer les objets.

GÉMEAUX ASCENDANT **VERSEAU**

Plein d'idées et d'imagination, le Gémeaux ascendant Verseau a un don pour les inventions. Il peut en faire sa profession, ou se contenter d'utiliser son talent pour imaginer des solutions simples à de vieux problèmes. L'ascendant Verseau élargit ses perspectives d'avenir, il lui donne la capacité de dépasser les apparences, de pardonner et de trouver des réponses à ses questions. La connaissance et l'éducation forment le but conscient de son existence. Volontiers humaniste, il rêve d'un monde de paix et d'amour où régnerait la liberté. Cependant, il envisage les problèmes de façon un peu trop intellectuelle et aurait peut-être besoin de travailler le côté émotionnel pour être pleinement crédible. Malgré sa fibre idéaliste, ne vous y trompez pas : derrière son doux sourire se cache toujours le Gémeaux convainquant et enjôleur. Puisqu'ils réussissent si bien à obtenir ce qu'il veulent, les Gémeaux ascendant Verseau font de bons ambassadeurs, diplomates, avocats, médiateurs, prêtres et juges. Ils se débrouillent aussi dans la publicité et les métiers artistiques.

Passionnés par tout ce qui vient d'ailleurs, ils aiment davantage voyager que les autres Gémeaux. Grâce à cela, ils ont une ouverture d'esprit plus grande, une nature généreuse et compréhensive.

GÉMEAUX ASCENDANT **POISSONS**

La famille et l'entourage ont une telle emprise sur le Gémeaux ascendant Poissons qu'il essaiera toute sa vie de s'en libérer pour être lui-même. Chacun d'entre nous est le produit de son environnement, qui a toujours quelque chose de précieux et d'unique à nous apporter, mais dans son cas, cela va conduire à une quête d'identité qui durera toute sa jeunesse. Il va tenter de devenir quelqu'un d'autre avant de comprendre qui il est et de s'accepter comme tel. Ce n'est qu'en emménageant dans sa maison, un lieu où son autorité n'est pas remise en question, qu'il trouvera la confiance en lui nécessaire pour grandir. Si le Gémeaux moyen est multifacettes, le Gémeaux ascendant Poissons est multi-multifacettes. ! C'est un être talentueux, intuitif, merveilleux ; mais seul un travail d'introspection lui permettra de découvrir ce qu'il cherche. Investir dans l'immobilier et dans la terre peut lui être profitable. Il a également un tempérament très artistique, mais pour trouver sa place dans ce monde, il devra connaître son histoire et ses origines. C'est dans son passé que se cachent les vrais trésors.

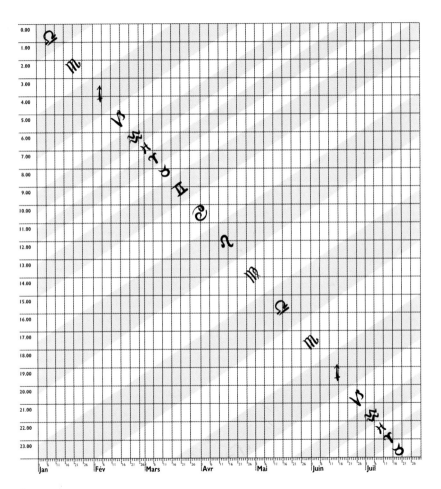

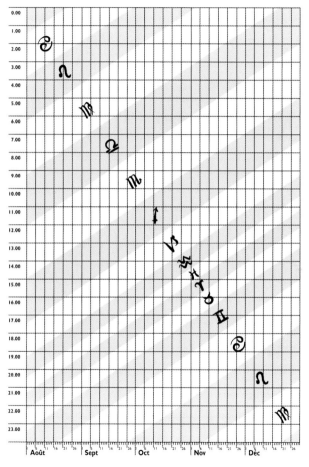

TABLEAU **DES ASCENDANTS**

Méridien de Greenwich
longitude 0° O.

Si vous êtes né à l'heure d'hiver entre 1916 et 1938, ajoutez une heure à votre heure de naissance. Si vous êtes né à l'heure d'été entre 1939 et 1945 en zone occupée ou si vous êtes né à l'heure d'été après 1976, retranchez une heure à votre heure de naissance.

♈ bélier		♎ balance	
♉ taureau		♏ scorpion	
♊ gémeaux		♐ sagittaire	
♋ cancer		♑ capricorne	
♌ lion		♒ verseau	
♍ vierge		♓ poissons	

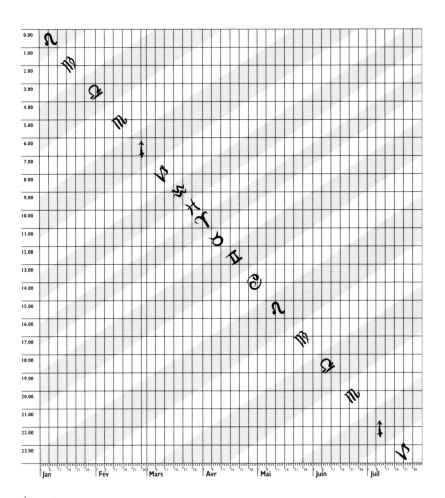

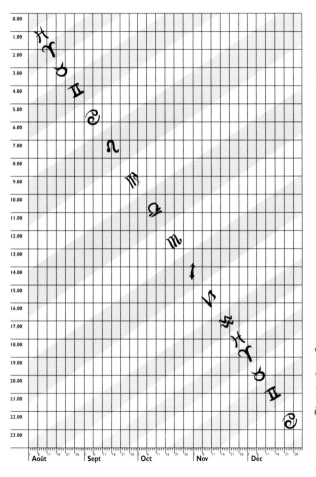

TABLEAU **DES**
ASCEПDAПTS

New York

latitude 39° N.
longitude 75° O.

♈	bélier	♎	balance
♉	taureau	♏	scorpion
♊	gémeaux	♐	sagittaire
♋	cancer	♑	capricorne
♌	lion	♒	verseau
♍	vierge	♓	poissons

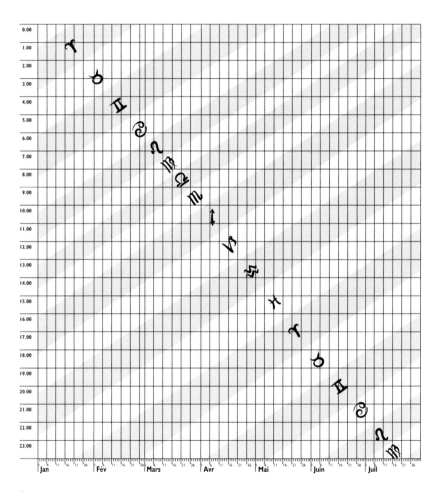

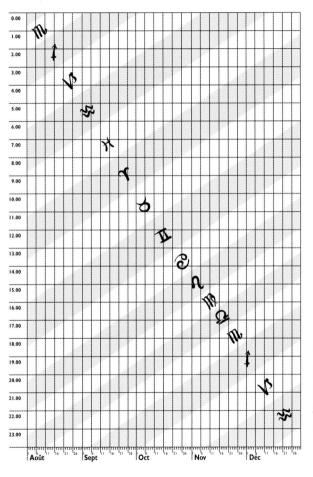

TABLEAU **DES** **ASCENDANTS**

Sydney

latitude 34° S.
longitude 150° E.

♈	bélier	♎	balance
♉	taureau	♏	scorpion
♊	gémeaux	♐	sagittaire
♋	cancer	♑	capricorne
♌	lion	♒	verseau
♍	vierge	♓	poissons

TROISIÈME PARTIE
LES **RELATIONS**

L'AMI GÉMEAUX

Tout le monde devrait avoir un ami spirituel et bavard comme le Gémeaux. Même si son incapacité à tenir en place, à rester fidèle à une idée ou à être à l'heure peut vous rendre fou, il est incroyablement intéressant et vraiment très drôle. Avec un sens de l'humour délicieux, il traque le ridicule partout où il se trouve.

Sa grande vivacité alliée à sa soif de connaissances lui ouvre de brillantes carrières dans la communication, où son sourire enthousiaste fait merveille. Si vous passez une heure en sa compagnie, vous récolterez une montagne d'informations, quelques-unes importantes, d'autres totalement inutiles ; mais avec le sens de l'exagération et l'humour qui caractérisent le Gémeaux, vous aurez du mal à discerner tout de suite à quelle catégorie elles appartiennent. Au bout du compte, vous aurez passé un moment très agréable. Le Gémeaux se lasse d'une conversation bien avant ses interlocuteurs ; il fait alors des yeux le tour de la pièce, à la recherche d'une autre personne à aborder. Malgré ce défaut, vous pouvez sans hésiter mettre des Gémeaux sur votre liste d'invités pour n'importe quelle fête. Ils s'entendront avec tout le monde, bourdonnant d'enthousiasme et débordant de charisme. Quand ils rencontrent quelqu'un, ils cernent avec perspicacité les aspects les plus intéressants de son caractère. Ils font sortir les timides de leur réserve et poussent par leurs questions les extravertis à l'introspection.

GÉMEAUX ET **BÉLIER**

Ces deux-là sont bavards, espiègles et agités. Il règne toujours entre eux une atmosphère de gaieté et d'aventure, même lorsqu'ils passent la soirée devant la télévision. Le Bélier se délecte de l'esprit brillant et rapide du Gémeaux, tandis que le Gémeaux se laisse avec plaisir porter par l'enthousiasme de l'intrépide Bélier. Cependant, lorsque deux personnes aussi énergiques se retrouvent, l'excitation a tendance à prendre le dessus. Tous les deux sont amateurs de sensations fortes et ne rateraient pour rien au monde un moment de plaisir. Leurs rencontres les mènent souvent jusqu'à l'épuisement. Ils peuvent être très bons amis, mais ont besoin de passer du temps l'un sans l'autre pour recharger leurs batteries.

GÉMEAUX ET **TAUREAU**

Le côté pragmatique du Taureau peut aider le Gémeaux à garder les pieds sur terre, il a donc une influence bénéfique sur lui. Le côté intellectuel et vif du Gémeaux ouvre de nouveaux horizons au Taureau, qui a tendance à ne penser qu'en termes concrets. Le Taureau apporte la stabilité et la sécurité dans leur relation, tandis que le Gémeaux offre les plaisirs fascinants d'une conversation brillante et animée. À la longue pourtant, le comportement désinvolte et l'instabilité du Gémeaux peuvent irriter le Taureau. Heureusement, le Gémeaux sait réagir assez vite pour éviter les problèmes.

GÉMEAUX ET GÉMEAUX

Quand un Gémeaux rencontre un autre Gémeaux, c'est comme s'il retrouvait un frère jumeau longtemps perdu de vue. Enfin quelqu'un à qui il se sent lié, quelqu'un qui le comprend totalement, capable de suivre les méandres de sa pensée et qui possède la même vivacité d'esprit ! Bien sûr, il y a des moments où chacun se retrouve dans sa bulle, où ils se mettent à parler en même temps de sujets complètement différents, et dans ces moments-là, le niveau sonore peut arriver à saturation ; mais chacun comprend le désir de l'autre de s'exprimer librement. Par contre, de leur bonheur d'être amis résultent des notes de téléphone très élevées !

GÉMEAUX ET CANCER

Gémeaux et Cancer forment un merveilleux duo comique. Ils comprennent et apprécient le côté absurde de la vie, et ensemble, ils échangent des blagues qu'ils sont seuls à comprendre. Par moments, la sensibilité exacerbée du Cancer peut embarrasser et surprendre le Gémeaux. De la même façon, le manque de compassion de ce dernier peut décevoir le Cancer. Pourtant, dans l'ensemble ils s'entendent bien ; l'intelligence fortement intuitive et affective du Cancer est contrebalancée par l'esprit inventif, clair et rapide du Gémeaux.

GÉMEAUX ET LION

Ces deux-là sont naturellement enclins à être amis. Ils reconnaissent leurs différences de caractère et ne s'en apprécient que davantage. Le Lion apprécie énormément l'effervescence, la bonne humeur du Gémeaux, ses sourires et ses remarques qui font mouche. Le Gémeaux, quant à lui, ne peut s'empêcher d'admirer la chaleur bon enfant et la confiance en soi qui émanent de son ami Lion. Où qu'ils soient ensemble, ils ne passent pas inaperçus, les brillants jeux de mots du Gémeaux s'alliant parfaitement à la théâtralité du Lion. Ils savent à quel point leurs duos sont divertissants, et qui plus est, ils adorent ça. On peut donc s'attendre à ce qu'ils refassent souvent leur numéro.

GÉMEAUX ET VIERGE

C'est une association amicale un peu étrange. Ils ont quelques points communs et chacun a quelque chose à apporter à l'autre, pourtant leur relation conserve toujours une part d'aléatoire. Ils entrent facilement en contact, leurs échanges sont stimulants, drôles et intéressants. Cependant, le Gémeaux risque de perdre patience face à une Vierge désireuse de ralentir le rythme de la conversation pour approfondir son analyse. La Vierge, quant à elle, trouve désinvoltes et puérils les constants changements d'opinion du Gémeaux. S'ils aiment à passer de bons moments ensemble, il est peu probable qu'ils deviennent inséparables.

GÉMEAUX ET **BALANCE**

Tous les deux s'amusent facilement. Ils sont comme deux oiseaux sur la branche, piquant et plongeant l'un vers l'autre en un vol joyeux et fantaisiste. Ils rient beaucoup, car personne n'apprécie autant que la Balance la touche créatrice de l'humour du Gémeaux. Et quand il s'agit de développer des idées, ce dernier sait qu'il a trouvé son âme sœur en la Balance. Ils aiment se rencontrer pour discuter, et ils passent de longues heures dans leur bistrot préféré à boire des cafés fumants en refaisant le monde, sans oublier de ricaner de son absurdité.

GÉMEAUX ET **SCORPION**

C'est un couple classique en amitié. Le Scorpion est tout en profondeur, en intensité et en mélancolie, tandis que le Gémeaux est léger, insouciant et incapable (ou peu désireux, car cela lui demanderait trop d'effort et de concentration) d'atteindre la même profondeur. Il serait difficile pour ces deux signes solaires de se regarder dans les yeux, mais par ailleurs, des influences planétaires évidentes dans leurs horoscopes en font un duo très productif. Le Gémeaux a des idées et le Scorpion les replace dans un plan d'ensemble. À eux deux, ils peuvent soulever des montagnes et accomplir de grandes choses.

GÉMEAUX ET **SAGITTAIRE**

Les Jumeaux et l'Archer sont situés à l'opposé sur la roue du zodiaque. Le résultat de leur rencontre se résume en deux mots : amour ou haine. Le Sagittaire regarde loin devant lui, alors que le Gémeaux considère son environnement immédiat. Ensemble, ils peuvent conquérir le monde ou, au contraire, finir par prendre des directions opposées. Tous deux aiment l'humour potache et savent vraiment prendre du bon temps. Quand ils sont réunis, gare aux farces et aux bonnes blagues ! Mais dans les discussions sérieuses, le Sagittaire n'apprécie guère la légèreté qui est la marque de fabrique du Gémeaux et ce dernier rejette la dimension philosophique du Sagittaire.

GÉMEAUX ET **CAPRICORNE**

Un Gémeaux et un Capricorne arpentant ensemble les rues en s'amusant n'auront pas la même allure au début et à la fin de leur journée. Au départ, ils sont tout sourire et pleins de bonnes intentions, bien que ces intentions ne soient pas forcément les mêmes. Un peu plus tard, le Gémeaux commencera à montrer des signes d'impatience en attendant que le Capricorne le rattrape. De son côté, le Capricorne s'énervera d'être bousculé et obligé de forcer l'allure – d'ailleurs, il commencera à ralentir exprès. L'humeur du Capricorne est un peu sombre au goût du Gémeaux, mais s'ils acceptent de faire un petit effort, leur amitié peut les enrichir mutuellement.

GÉMEAUX ET **VERSEAU**

Le Gémeaux et le Verseau s'entendent à merveille et font les meilleurs amis du monde. Ces deux-là passent ensemble des moments formidables, mais quiconque, mis à part un autre Verseau ou un autre Gémeaux, essaierait de s'immiscer dans leur relation se sentirait exclu. Aucun des deux ne fait exprès de mettre les gens mal à l'aise, mais ils sont réglés sur la même longueur d'onde et ne captent pas les autres. Leur amitié peut durer toute une vie. Ils se comprennent parfaitement et comme les émotions sont pour eux une langue étrangère, ils ne les laissent jamais se mettre en travers de leur route.

GÉMEAUX ET **POISSONS**

Le Gémeaux et le Poissons ont en commun leur faculté d'adaptation et leur gentillesse, ce qui leur permet d'entretenir des relations superficielles pendant très longtemps. Ils s'entendent plutôt bien, mais si le Poissons, comme c'est son habitude, cherche à aller au-delà des apparences, le Gémeaux se mettra sur la défensive. Il est incapable de répondre par la logique aux analyses très intuitives du Poissons ; cela le déconcerte et lui fait un peu peur. Pourtant, ils exercent une sorte de fascination l'un sur l'autre, car bien qu'ils aient beaucoup en commun, d'autres aspects de leur caractère sont non seulement différents, mais complètement étrangers à l'autre.

LA **FEMME GÉMEAUX** AMOUREUSE

Au départ, la femme Gémeaux est insaisissable. Elle est volage, charmeuse et un peu instable. Il est très difficile de lui demander de s'engager avant qu'elle ait exploré toutes les autres options. Avec autant de partenaires possibles, tous visiblement attirés par elle, comment pourrait-elle arrêter son choix ? Elle devra passer un peu de temps avec chacun d'eux afin de vérifier s'ils sont capables de retenir son attention plus d'une heure ; après tout, elle est très équitable. Elle a aussi un côté très romantique, mais comme elle recherche constamment de nouvelles sensations, personne ne peut prédire à quel moment cette tendance va se révéler ni pourquoi. Cependant, son romantisme sera plus facilement éveillé par une vision ou une parole que par une sensation physique. Elle est rarement excitée par une approche crue et directe, à moins que celle-ci ne s'accompagne d'une idée brillante.

Pourtant, elle est souvent d'humeur romantique, même si, vue de l'extérieur, sa conception de la romance ressemble à un caprice passager. Dotée d'une imagination merveilleuse, elle peut créer tout un univers de fantasmes fascinants autour de l'amour et du couple. Sa façon de les exprimer est si légère et gaie qu'aucun homme ne se sentira jamais pris au piège par une femme Gémeaux. En outre, elle n'est pas du genre à s'impliquer à fond dans une relation. Si l'amour ne s'impose pas comme une évidence, ne comptez pas sur elle pour faire un effort. Elle ne répond pas non plus à l'empressement de ses amants ; sa liberté passe avant tout. Si son amoureux veut qu'elle s'intéresse à lui, il va devoir se surpasser. En société, la femme Gémeaux navigue à travers la pièce, souriant et riant, attirant les regards de tout mâle au sang chaud désireux d'échapper à la routine. La vivacité de son pas et l'ondulation de sa démarche évoquent à elles seules la légèreté et le plaisir. Et elle tiendra toutes ses promesses! Elle pétille et déborde de vie, et même lorsqu'elle n'a pas le moral, elle n'ennuie personne avec ses problèmes. Elle vous sourit, raconte une blague et continue à faire la fête. Cependant, cette façon de réagir peut créer des barrières entre elle et les autres. L'homme qui partage sa vie se sentirait plus proche d'elle si elle lui faisait suffisamment confiance pour partager ses soucis. Ses réparties spirituelles, sa vivacité, son hyperactivité créent un écran de fumée qui tient les gens à distance jusqu'à ce qu'elle soit prête. Une fois qu'elle l'est, elle offre à son compagnon beaucoup d'amour et de gentillesse à travers de multiples attentions. Elle s'acquitte des tâches ménagères en sifflotant, du moins tant que personne ne la traite comme une bonne à tout faire. Ensuite, avec sa vivacité coutumière, elle participe à une conversation intellectuelle, éclipsant les autres personnes présentes. La minute d'après, elle se dirige vers le court de tennis, où elle donne du fil à retordre même à un joueur confirmé. La chanson *I'm every woman* («je suis toutes les femmes») a dû être écrite par une femme Gémeaux.

FEMME GÉMEAUX ET **HOMME BÉLIER**

 En amour : La femme Gémeaux, spirituelle, charmeuse et gaie, attire l'homme Bélier comme le miel attire les abeilles. Elle prend un tel plaisir à réveiller ses mâles instincts qu'il est subjugué. L'attirance immédiate qu'ils ressentent l'un pour l'autre les intriguent beaucoup. Leurs conversations intelligentes et stimulantes leur procurent des heures de surprises et de plaisirs partagés. L'attrait initial peut naturellement se transformer en amour, à condition que la femme Gémeaux ne s'amuse pas à flirter avec un autre homme sous les yeux du Bélier. Ce n'est pas nécessairement qu'elle veuille attirer d'autres abeilles, mais elle s'ennuie très facilement et ne peut s'empêcher de mettre un peu de piment dans chaque conversation. Dans la mesure où l'homme Bélier se sent capable de combler à lui seul une dizaine de femmes, il ne comprend évidemment pas son attitude. Dans leur relation, rien ne doit être considéré comme acquis, les attentes de chacun doivent être clairement exprimées. Au moment de s'engager, il faudra mettre cartes sur table, car tous les deux sont attachés à leur liberté et ne supportent pas les refus. Que cela dure toute la vie ou pas, leur histoire restera une expérience mémorable et ils seront heureux que leurs routes se soient croisées. Leur relation est de qualité et peut s'inscrire dans la durée. Ce couple bien assorti connaîtra alors tous les plaisirs d'une intimité de plus en plus grande. Leur relation est équilibrée et si l'un des deux s'en va, ils pourront quand même s'estimer quittes.

Au lit : Le Bélier est l'homme que la femme Gémeaux a attendu toute sa vie. Quand enfin ils se trouvent, elle est prête à se mettre à nu complètement, tout en l'allumant sans pitié. Ils aiment faire les fous. Elle est capable de lui faire recroqueviller les orteils de plaisir par simple stimulation intellectuelle. Elle lui raconte des histoires qui enfièvrent son imagination et font monter son désir jusqu'à ce qu'il se croie face à la déesse de l'Amour en personne descendue sur Terre. Elle le voit comme son héros, sa source d'inspiration, et meurt d'envie de le caresser. Tous deux aiment le contact et sont très rapides quand il s'agit d'exprimer leur désir. Elle est l'air, lui le feu, une alliance essentielle pour faire monter la température. Il est possible que l'on ait besoin de pompiers pour éteindre l'incendie ! Il faudra aussi s'assurer que le lustre est bien accroché, car ils aiment varier les plaisirs.

FEMME GÉMEAUX ET **HOMME TAUREAU**

En amour : Cette relation débute de façon assez incertaine. La femme Gémeaux se retrouve au cœur d'un séisme sans vraiment comprendre ce qu'il lui arrive, jusqu'au moment où elle est frappée de plein fouet. Elle, qui change d'avis toutes les cinq minutes, est fascinée par le caractère inébranlable de l'homme Taureau. Elle a du mal à croire qu'un être humain puisse se montrer aussi solide. De son point de vue, il ressemble à une statue d'Apollon ; elle est attirée par la puissante virilité qui en émane. Lui trouve que cette femme Gémeaux, spirituelle et vive, mérite toute son attention, bien qu'il ait un peu de mal à suivre les méandres de son étrange conversation. Il est intrigué par l'émotivité qu'elle dégage, tandis qu'elle est un peu frustrée par son approche simple et directe de la vie. Les manières légères, charmeuses et inconstantes de sa compagne poussent le Taureau à se demander quelle place il occupe dans son cœur. Si elle ralentit un peu pour qu'il puisse la rejoindre, alors il lui apprendra la vraie signification du mot « amour » et, avec lui, elle se sentira vraiment femme. De son côté, elle lui montrera une nouvelle façon de voir les choses, gaie et spontanée.

 Au lit : L'homme Taureau est tout en force virile et, au lit, il est direct et sans artifices. Il laisse peu de place aux sous-entendus et aux intrigues, qui font pourtant partie de la panoplie de séduction de l'espiègle femme Gémeaux. Elle est fascinée par son approche ferme et solide et ne se lasse pas de jouer avec lui ; simplement, leurs règles du jeu ne sont pas les mêmes. On peut ainsi les voir se faire la tête parce que l'autre n'a pas voulu jouer comme il fallait ! De temps en temps, elle le fait attendre jusqu'à ce qu'il devienne fou de désir. Cependant, ce numéro de tentatrice coquine, qui l'entraîne dans une direction puis dans l'autre, peut avoir pour effet de le mettre très en colère. Il n'aime pas que l'on joue avec une chose aussi sérieuse que son désir ; ce qu'il veut, c'est une réponse concrète à ses avances. S'il a le moindre doute sur le désir de sa partenaire de prolonger une soirée passionnée, il pensera qu'elle ne veut plus de lui et partira furieux, troublé et blessé. La femme Gémeaux, quant à elle, aime la sensation de ne pas savoir exactement ce qu'il va se passer : trop de certitudes étouffent le plaisir de cet instant magique où, finalement, deux corps se retrouvent enlacés.

FEMME GÉMEAUX ET HOMME GÉMEAUX

En amour : Ces deux-là aiment s'aimer. Regarder le soleil se lever, écouter les bruissements de l'aube après une nuit passée ensemble sont des sources de plaisir toujours renouvelées pour ces deux Jumeaux. Ils ont tant de choses à se dire, tant de rires à partager qu'ils ne seront certainement jamais à court de sujets de conversation. Mais à force de papoter inlassablement, ils ont toujours du retard, soit dans leur sommeil, soit dans leur travail. Ils comprennent instinctivement que l'autre a besoin d'espace. Bien qu'ils aient chacun leur bande, ils ont également beaucoup d'amis communs. S'ils ne se voient pas pendant plusieurs jour, ils ressentent un grand manque, car ils sont complémentaires et, ensemble, forment un tout. Leur relation est de l'ordre de la symbiose et lorsqu'enfin ils se retrouvent dans les bras l'un de l'autre, ils en éprouvent une sorte de soulagement, comme quand on récupère quelque chose que l'on croyait perdu. Leur univers est centré sur le divertissement et le jeu, mais il y a toujours un côté sérieux à l'existence. Lorsque deux personnes aiment autant s'amuser, les détails pratiques du quotidien risquent d'être négligés, à moins qu'un des deux n'assume le rôle de « jumeau responsable ».

Au lit : « Montre-moi la tienne, je te montrerai la mienne ! », tel est le défi taquin que se lancent les Gémeaux amoureux. Ce couple éternellement jeune est toujours curieux de l'esprit, du corps et de l'âme de l'autre. Ils aiment les préliminaires, les prolongations et les bêtises de toutes sortes. Ils adorent appuyer sur un bouton et observer ce qui se passe ; ils n'arrêtent que lorsque le résultat devient prévisible. Ils se provoquent par des sous-entendus et des mots à double sens. Ils aiment les blagues intimes, se donnent des surnoms d'animaux, inventent des histoires salaces et rigolent bêtement l'un de l'autre pour un oui ou pour un non. Chaque mot devient un excitant et leurs conversations coquines sont interminables. Ils ne sont pas toujours ensemble mais restent toujours à l'écoute. Ils peuvent se téléphoner pendant des heures ! Ce sont des amateurs de sensations fortes. Ils ne vivent que pour la diversité, si bien que l'ennui n'a pas chez eux la même connotation que chez les autres. Ils sont capables, sur un coup de tête, de se débarrasser de leurs vêtements n'importe quand et de se laisser emporter par les flots de la passion n'importe où : sur la plage, dans l'ascenseur ou dans la remise du voisin.

FEMME GÉMEAUX ET **HOMME CANCER**

En amour : L'homme Cancer peut tomber éperdument amoureux de cette femme Gémeaux si vive. Il est très réceptif à son humour et à son charme tellement féminin. Son air enfantin l'intrigue et le ravit. Comme elle change sans arrêt d'opinion, elle ne se formalise pas de ses sautes d'humeur. Elle ne le comprend pas forcément, car son instabilité à lui est plutôt d'ordre émotionnel tandis que la sienne est purement cérébrale. Elle est attirée et fascinée par son côté insaisissable. Cependant, il garde plus facilement le contrôle sur elle qu'elle sur lui, ce qui la met mal à l'aise. Si la femme Gémeaux est un peu volage, il serait préférable qu'elle prenne des gants avec l'homme Cancer ; elle le séduira sans effort, mais il est incroyablement sensible et facilement blessé. Il met du temps à créer un climat de familiarité et d'intimité entre lui et sa partenaire, et désire une relation stable mais passionnée. Si ses intentions ne sont pas sérieuses, elle commettrait une erreur en sortant avec lui : elle pourrait trouver qu'il est plus difficile de se débarrasser de lui que d'un tatouage. Cet attachement, au moins au début, suffit à donner de l'urticaire à la femme Gémeaux. Elle sent sa liberté menacée, ce qui la rend d'autant plus nerveuse et volage. Parce qu'il s'implique beaucoup dans la relation, l'homme Cancer ne restera pas amoureux très longtemps s'il ne perçoit pas en retour des sentiments sincères. Alors, il déguerpira pour ne plus jamais revenir.

Au lit : L'homme Cancer peut paraître dur, mais sous sa carapace se cache un cœur tendre. Il a envie de passer de longues soirées romantiques à se promener au bord de l'eau avec sa femme Gémeaux avant de la persuader de coucher avec lui. C'est merveilleux et ça marche très bien avec elle. Pourtant vient un moment durant cette longue promenade où, emportée par son imagination, elle a envie d'aller droit au but. Continuer à l'écouter parler de sa voix douce et monotone ne ferait que gâcher son excitation. Sa patience est à bout. Elle le veut tout de suite ! Si elle le caresse doucement, il fond et la prend fermement dans ses bras. L'ambiance devient d'un seul coup très chaude ! L'homme Cancer, un peu délicat, aura peut-être un mouvement de recul devant la collection de jouets érotiques de la femme Gémeaux, du moins jusqu'à ce qu'il sente que leur relation est stable et faite pour durer. C'est un homme « nature » qui estime ne pas avoir besoin d'artifices pour emmener celle qu'il aime au septième ciel, et vice versa. Cependant, ils se pliera volontiers aux besoins et aux envies de son irrésistible femme Gémeaux. Parce que ces deux-là sont fondamentalement différents, leur relation est fondée sur les plaisirs de la découverte de l'autre, avec beaucoup de frissons en perspective.

FEMME GÉMEAUX ET **HOMME LION**

En amour : La femme Gémeaux adore son Lion et c'est parfait, car lui adore qu'elle l'adore. En gagnant ses faveurs, elle est couverte de cadeaux et traitée comme une reine. Mais lorsqu'elle partira en trombe, à sa manière enfantine, elle devra prendre garde à ne pas laisser glisser sa couronne et à ne pas se montrer dépeignée devant lui, car il est très pointilleux sur les apparences. La question de savoir qui porte la culotte dans le couple ne se pose pas ; le Lion est un homme, un vrai, qui se fait un plaisir d'entretenir et de protéger celle qu'il aime. Pourtant, la femme Gémeaux n'a rien d'une demoiselle en détresse, elle sait se prendre en charge. Elle réussira quand même à lui faire comprendre qu'elle a besoin de lui, car, à ses yeux, il est unique. Entre eux, c'est donnant donnant ; amour et compréhension mutuelle. Cependant, il est frimeur et aime attirer l'attention, fier de son côté glamour et de son sex-appeal ainsi que de celui de sa compagne. En société, où il est si important de briller, la femme Gémeaux se montre la partenaire idéale de l'homme Lion sophistiqué. Son humour merveilleux, sa façon gracieuse de danser rejaillissent sur lui et le poussent à donner le meilleur de lui-même. Elle est séduite par son enthousiasme et son dynamisme. Bien qu'il soit par moments un peu vieux jeu, elle est comme lui, attirée par tout ce qui brille. Qui plus est, il est sensible aux autre, très aimant et il a bon cœur.

Au lit : Rien n'excite plus l'homme Lion que d'avoir à ses côtés, semblable à une nymphe, la malicieuse mais adorable femme Gémeaux. Elle virevolte de-ci, de-là, tel un oiseau exotique, toujours hors de portée, tandis qu'il la guette puis bondit. L'excitation de la poursuite les séduit tous les deux et elle sait jouer à ce jeu mieux que quiconque. Lorsqu'il la rattrape, il la retient et fait durer le plaisir jusqu'au moment propice au déchaînement des passions. S'il la juge digne de ses royales attentions, il la fera frémir et elle le suppliera de continuer. D'autre part, la femme Gémeaux n'est pas idiote, elle apprend très vite les règles du jeu. Elle passe ses mains dans la crinière de son Lion, lui procurant du plaisir de ses doigts délicats et experts. Les ébats amoureux de ce couple sont déconseillés aux mous, aux timorés et aux âmes sensibles. L'alternance de flirt et de caresses très poussées, de légèreté et d'excitation, les entraîne dans une spirale de plaisir et d'extase. Ils savent instinctivement comment faire monter le désir de l'autre de la façon la plus agréable, jusqu'à ce que la tension se libère, comme un torrent de lave jaillissant dans la nuit ; Très, très chaud !

FEMME GÉMEAUX ET **HOMME VIERGE**

En amour : Les Gémeaux, comme les Vierge, sont gouvernés par Mercure, planète de la communication, de l'information et de l'adaptabilité. La femme Gémeaux et l'homme Vierge échangent ainsi certains signaux, invisibles pour les autres. Que ces signaux aient un rapport avec l'amour, c'est une autre histoire. Ils sont au moins un encouragement au dialogue. Après un certain temps, lorsque leur mode de communication est bien rodé, il y a des chances pour que l'amour s'installe. Né sous un signe de terre, l'homme Vierge est sensuel et sensible à ce qui touche la femme Gémeaux. Il la chérit et l'entoure d'un amour très tendre, peut-être un peu trop. Elle risque d'être déroutée par tant de sentimentalité. Bien sûr, il a le sens de l'humour, mais il redevient sérieux dès qu'il s'agit d'amour, alors qu'elle préfère prendre cela avec légèreté. Pourtant, elle est tout à fait capable de lui faire sentir qu'elle l'aime très fort. Leur relation est très stimulante sur le plan intellectuel, mais la femme Gémeaux devra apprendre à parler avec son cœur plutôt qu'avec sa tête. De son côté, l'homme Vierge, plus terre à terre, doit accepter ses idées changeantes. Il leur faudra commencer par valoriser leurs différences et par trouver une intimité à travers leurs ressemblances. Lorsqu'ils auront compris cela, leur amour gagnera en intensité, en tendresse et en profondeur.

Au lit : Ils ont lu tous les manuels, du *Kama-sutra* aux revues les plus spécialisées. Ils savent quelle sensation procure telle caresse appliquée à tel endroit, mais ils abandonneront ce côté mécanique au fur et à mesure que leur amour s'intensifiera. Contrairement aux autres planètes, Mercure, qui gouverne les Gémeaux et les Vierge, n'est pas sexuée. Il est donc fréquent que les rôles soient inversés entre un homme Vierge et une femme Gémeaux. Peu importe alors qui est dessus, qui a fini le premier ou qui fait quoi. Quand ils en ont assez d'une posture, ils passent à une autre. Pourtant, le Gémeaux se lassant plus vite que la Vierge, la femme Gémeaux peut enchaîner une série de positions complexes dans le but d'exciter son homme. Quelquefois, elle obtient l'effet contraire, car l'homme Vierge aime aller au fond des choses et profiter de chaque sensation. Pour qu'elle reste tranquille, il devra lui susurrer à l'oreille un flot de propositions et d'histoires fantastiques et excitantes. Cette sorte de gymnastique mentale la distraira. Pour qu'il continue à la désirer, elle devra se laisser aller à plus d'émotion et oublier les prouesses techniques ; il est très généreux au lit et mérite beaucoup en retour.

FEMME GÉMEAUX ET **HOMME BALANCE**

 En amour : Quand une femme Gémeaux et un homme Balance sortent ensemble, la magie opère et ils se montrent tous les deux sous leur meilleur jour. Tout le monde cherche à les inviter car, réunis, ils représentent le summum de l'intelligence, de la beauté, du charme et de l'esprit. Leur conversation est un modèle d'intelligence et de clarté. Ils sont très complices ; entre eux, il y a beaucoup d'amour et d'éclats de rire, de plaisanteries et de taquineries. Leur présence suffit à illuminer les lieux où ils se trouvent. Quand ils sont seuls, cette magie se focalise sur leur couple. La femme Gémeaux est totalement séduite par l'élégance, l'éloquence et l'intelligence de l'homme Balance. Il peut la charmer d'un regard ou d'un mot, tandis qu'elle l'impressionne par sa rapidité à comprendre les concepts intellectuels qu'il formule. Elle le surprend constamment par son bavardage drôle et espiègle. Leur unique problème est qu'ils sont, l'un comme l'autre, pratiquement incapables de prendre des décisions. Mais au fond, ce n'est pas si grave : ils sont si bien ensemble qu'ils ont tout le temps de décider quel canapé ils vont acheter, s'ils vont vivre ici ou là, partir en vacances au nord ou au sud. Une fois qu'ils seront décidés, ils vieilliront côte à côte, sans jamais se lasser l'un de l'autre. C'est un couple béni des dieux, qui connaîtra toute une vie de bonheur.

Au lit : Le lit est leur terrain de jeu. C'est là qu'ils prolongent jusqu'au petit matin les ébats amoureux les plus experts, les plus raffinés et les plus romantiques qui soient. L'homme Balance tremble littéralement de désir lorsque ses sens sont titillés. Il adore le contact d'une fine dentelle et de draps en soie, et il apprécie la délicatesse naturelle de la femme Gémeaux. Il achètera tous les accessoires nécessaires pour souligner son charme (bougies parfumées, encens, musique romantique) et atteindre la perfection. Ils aiment tous les deux bavarder. Ce serait d'ailleurs très drôle de pouvoir écouter leurs incessants commentaires pendant l'un de leurs marathons sexuels. Les monologues de la femme Gémeaux seraient parfaitement à leur place dans une soirée cabaret un peu osée, tandis que l'homme Balance ferait fortune dans les cartes de vœux romantiques. Mais il est peu probable que l'un et l'autre trouvent le temps de coucher leurs dialogues par écrit, occupés comme ils le sont à vivre ensemble. Chaque fois qu'ils posent le regard l'un sur l'autre, leur cœur bat à tout rompre, leur souffle s'accélère et ils ressentent la même émotion et le même désir qu'au premier jour. Fidèle à son symbole, l'homme Balance connaît l'importance de l'équilibre dans une relation. Il saura toujours partager, donner et recevoir. Ces amants fantaisistes s'aimeront à s'en donner le vertige.

FEMME GÉMEAUX ET **HOMME SCORPION**

 En amour : Au départ, l'homme Scorpion est tenté de renoncer à la femme Gémeaux, qu'il trouve délicate, amusante, mais un peu superficielle. Il s'inquiète (et à juste titre) de ne pas retenir assez longtemps son attention pour pouvoir tisser les liens d'intimité dont il a tant besoin. Il est possible qu'elle passe à côté des qualités qui font son charme sans les voir, car, chaque fois qu'elle essaie de flirter avec lui, il en profite pour la détailler de son regard pénétrant. Cela la rend nerveuse et elle s'éloigne avant d'avoir fait réellement sa connaissance. Si elle le traite comme un objet de curiosité passager, elle se rend compte alors que c'est lui qui, le premier, se désintéresse de leur relation – ce à quoi elle n'est pas du tout habituée. Évidemment, il apprécie le caractère physique de ce qu'elle a à lui offrir, y compris sa façon énergique de se mouvoir dans une pièce. Mais il prétend également deviner ses moindres pensées, ce qui en fait n'est pas faux. C'est pourquoi, au début, la femme Gémeaux est un peu effrayée par le regard intense et les manières inquiétantes du Scorpion. Elle a l'impression qu'il va la dévorer toute crue et, avec un peu de chance, peut-être le fera-t-il. Si elle prend son temps et sait rester calme pendant que ce prédateur l'examine à la loupe, elle s'apercevra qu'il est aussi envoûtant qu'une nouvelle érotique. Il sait où est son intérêt et, pour laisser une chance à cet amour, il saura surveiller ses manières. Leur relation devrait alors passer l'épreuve du temps et s'épanouir.

Au lit : En ce qui concerne le sexe, les petites tapes pour rire et les chatouilles sont les dernières choses dont a envie l'homme Scorpion. Son but essentiel est d'atteindre une satisfaction profonde et totale. Il se fiche que la femme Gémeaux ait besoin d'un peu de temps pour s'habituer à son style ardent. Pendant cette phase d'adaptation, ses gestes passionnés font naître chez elle de grandes interrogations sur la notion de limite, mais pour lui, il n'y a rien de mieux que de sentir sa libido hors norme s'enflammer. De son côté, elle ne trouvera pas cela forcément très excitant. Quoi qu'il en soit, à la seule pensée de la posséder, il peut en une seconde se transformer en bête de sexe passionnée, et il est alors très difficile de lui résister. Il se sert avec plaisir de la collection de gadgets de sa femme Gémeaux, mais si par malheur il la soupçonne de lui préférer ses jouets érotiques, sa jalousie sera sans limite. S'il perçoit que les sentiments de sa partenaire à son égard ne sont plus ce qu'ils étaient, il en sera désespéré. Elle devra changer d'adresse et de numéro de téléphone, car un homme Scorpion ne pardonne et n'oublie jamais. Mais elle aura su le faire vibrer comme personne.

FEMME GÉMEAUX ET **HOMME SAGITTAIRE**

En amour : Cette combinaison illustre parfaitement l'« attraction des contraires ». Elle est en quête perpétuelle de diversité, alors qu'il recherche l'unité. Ensemble, ils se lancent dans des débats sans fin, des conversations animées, des défis intellectuels et s'amusent à se jouer des tours. La femme Gémeaux aime l'homme Sagittaire presque malgré elle. La richesse de leurs échanges est un puissant aphrodisiaque. Elle ne pourrait pas tomber amoureuse de quelqu'un qui ne la stimulerait pas intellectuellement, or il fait plus que la stimuler, il ne lui laisse aucun répit. Alors, elle se jette droit dans ses bras. Il l'observe avec l'œil de l'Archer, se délectant du défi qu'elle représente. Elle ne se révèle pas une cible facile à épingler, mais si quelqu'un peut la coincer, c'est bien lui. Ils sont à l'évidence faits l'un pour l'autre. Lorsque l'un d'entre eux s'énerve et éprouve le désir de rester seul, l'autre se retire gentiment. Aucun des deux n'est collant ou possessif, ils ont besoin de liberté et respectent naturellement celle du conjoint. Chacun part explorer de nouveaux univers et il ne leur vient pas à l'idée de remettre en cause la fidélité de leur partenaire (du moins, dans les limites du raisonnable). Ils n'ont pas les mêmes motivations, mais leurs objectifs sont identiques. Il la fait pleurer de rire, ce qui l'exalte encore davantage. Lorsqu'ils dansent l'un autour de l'autre, leurs sentiments entrelacent des motifs d'amour qui émeuvent le tissu même de leurs âmes.

Au lit : Waouh ! Apportez la cravache et en avant pour la chevauchée fantastique ! Devons-nous en dire davantage ? Sachez que leur appétit est insatiable. Si vous voyiez ce qui se passe derrière la porte de ce couple, vous n'en croiriez pas vos yeux. Soit leurs ébats vous laisseraient perplexes, soit ils vous donneraient plein d'idées pour pimenter votre propre vie amoureuse. Ce que vous verriez ne serait pas plus obscène que la moyenne, mais les réjouissances bruyantes, quelquefois acrobatiques et burlesques, auxquelles se livre ce couple quand il fait l'amour sont proprement incroyables. Malgré ses idéaux élevés, le Sagittaire garde en lui assez de sauvagerie pour apprendre à la femme Gémeaux à libérer tous les fantasmes enfouis en elle. Mercure, qui gouverne son signe, a beau avoir les talons ailés, rien ne pouvait préparer la femme Gémeaux aux découvertes érotiques d'une chevauchée à dos de Centaure. Il l'emmène au septième ciel, aller et retour. Cependant, c'est une habile petite polissonne, capable de le suivre dans ses prouesses physiques aussi longtemps qu'il pourra continuer. Il est indispensable qu'elle porte des bas, et si alors elle lui presse le flanc de ses cuisses, il ira avec joie dans la direction qu'elle demande. Non seulement ils s'adorent, mais en plus ils s'amusent énormément ensemble.

FEMME GÉMEAUX ET **HOMME CAPRICORNE**

 En amour : L'homme Capricorne a un côté vieux jeu et comme la femme Gémeaux est à la recherche d'une figure paternelle, cette relation lui ouvre des perspectives. Il veillera sur elle toute la vie et il prend son rôle très au sérieux. Bien qu'elle ne soit pas si fragile que cela, cette situation lui convient jusqu'à un certain point. Cependant, elle aimerait qu'il partage ses jeux, au moins de temps en temps. Elle n'apprécie pas de se faire réprimander comme une enfant alors qu'elle cherche simplement à s'amuser un peu. Si elle a des tendances masochistes, elle a trouvé l'homme qu'il lui faut. Il est sérieux, intense et mélancolique ; elle est légère, enjouée et charmeuse. Malgré tout, ils ne sont pas totalement incompatibles. Chacun a ses qualités, et en faisant un petit effort, ils sont capables de bien s'entendre. Si tous les deux vont chercher des satisfactions intellectuelles ailleurs que dans leur couple, c'est-à-dire au travail, avec la famille ou les amis, alors ils trouveront le cocon qu'ils ont créé ensemble très agréable. Dans certains cas, par exemple quand il s'agit d'humour, leur différence est un atout. La femme Gémeaux est suffisamment vive et spirituelle pour apprécier le sens de l'ironie et de la satire du Capricorne. Elle lui donne aussitôt la réplique, pour leur plus grand bonheur à tous les deux. Son enthousiasme juvénile égaye le caractère habituellement réservé et sombre de cet homme. Mais lorsqu'il est d'humeur noire et mélancolique, ses tentatives pour l'amuser ne réussissent qu'à l'irriter, et sa réponse est si glaciale que la femme Gémeaux mettra des semaines à se réchauffer.

 Au lit : Lui un peu vieux jeu et elle toujours jeune d'esprit, voilà une combinaison intéressante. Quand elle se retrouve au lit avec un Capricorne guindé et maître de lui, la femme Gémeaux se fait un plaisir de le surprendre et de le séduire. Cela ne lui demande d'ailleurs pas beaucoup d'efforts : il aime l'exercice et le sexe est son sport favori. Il sait exactement comment conduire sa femme Gémeaux au septième ciel. Elle ne se lasse jamais des attentions qu'il lui prodigue continuellement. Rien de tel que la perspective de jeux coquins pour réveiller l'enfant qui sommeille en lui. Il met peut-être un peu plus de temps à s'échauffer qu'elle n'en a l'habitude, mais en ce qui le concerne, il adore faire durer le plaisir. Il prend l'acte sexuel très au sérieux, et de plus, il est renommé pour son endurance. La femme Gémeaux peut donc se préparer pour une longue, longue nuit… Une fois qu'ils ont atteint les sommets, pas de descente en chute libre, il tient bon et la ramène sur terre par le chemin des écoliers.

FEMME GÉMEAUX ET **HOMME VERSEAU**

 En amour : La rencontre de la femme Gémeaux et de l'homme Verseau s'apparente à un parcours initiatique. Ce n'est pas comme s'ils revenaient s'ennuyer sur les bancs de l'école, c'est, au contraire, comme s'ils entraient à l'université de la Vie, département du Bizarre, du Mystérieux et du Merveilleux. Ils s'enferment dans une bulle et obéissent à des règles qu'ils sont seuls à comprendre. Cette bulle flotte au gré du vent et, à travers elle, ils regardent le monde d'un point de vue unique et fascinant. Tous les deux ont horreur du quotidien et de la banalité. Ils sont toujours en quête d'imprévu et de sensationnel. Ils prennent plaisir à échanger connaissances et informations, et s'incitent mutuellement à explorer de nouveaux champs de réflexion. De plus, il leur arrive très souvent de rire ensemble. La femme Gémeaux est étourdie et l'homme Verseau adore lui apprendre à s'organiser avec l'aide des nouvelles technologies. Elle est heureuse qu'il comprenne et encourage son constant désir de changement. Ils ont leur propre idée de l'amour, qui leur convient parfaitement : ni exubérant ni passionnel. Leur relation amoureuse est paisible, loin des extrêmes. Ils ne passent pas par l'étape « je suis en train de tomber amoureux », ils s'aiment spontanément dès leur première rencontre, soit comme amis, soit comme amants. Ils sentent qu'ils sont faits de la même étoffe et puisque l'air est leur élément à tous les deux, rien ne les empêche de prendre leur envol pour toute une vie d'amour.

Au lit : La femme Gémeaux et l''homme Verseau font tout ce qu'il faut pour ne jamais s'ennuyer sous les draps. Ils ont tant en commun qu'ils ont l'impression de s'être toujours connus. Ils se sentent donc en confiance pour tenter des expériences nouvelles. L'expérimentation est d'ailleurs le mot d'ordre de leur relation. Si vous pensez être le premier à avoir fait l'amour dans tel endroit ou dans telle position, vous finirez sûrement par découvrir qu'un homme Verseau et une femme Gémeaux ont essayé avant vous ! Le premier couple à s'être envoyé en l'air à bord d'un avion était sûrement composé d'un Verseau et d'une Gémeaux. Pourtant, les racines de leur relation sont plus profondes que cela. Ils aiment l'affrontement dans leurs ébats amoureux. La nouveauté les enthousiasme et les excite et ils donnent libre cours à leur imagination sans limite pour se faire plaisir. Ils sont très unis (et pas seulement sur le plan émotionnel), ce qui leur permet de se sentir à l'aise quelle que soit la bizarrerie de leurs expériences. Le Verseau aime se trouver là où on ne l'attend pas, quitte à choquer parfois, et personne n'aime autant les surprises que la femme Gémeaux. Leur relation est donc un pur plaisir pour tous les deux. Il n'y a aucune zone d'ombre ni aucune motivation obscure dans leur union – juste le courant qui passe et électrise leur désir.

FEMME GÉMEAUX ET **HOMME POISSONS**

 En amour : Quand les limites sont clairement définies et qu'il n'y a plus de place pour les quiproquos, l'homme Poissons surprend la femme Gémeaux autant qu'elle le déboussole. Une étrange fascination s'installe entre eux lorsqu'ils s'aperçoivent qu'ils ont trouvé quelqu'un qui comprend leur besoin d'imprévu et de spontanéité. Et qu'importe s'ils expriment ce besoin de façon totalement différente ! L'homme Poissons se laisse guider par son intuition. S'il apparaît un peu hésitant, en fait, il attend juste le moment propice pour s'approcher de la femme Gémeaux (ou pour s'enfuir). Ses hésitations à elle sont dues aux mille questions qu'elle se pose sans cesse pour savoir si elle a vraiment envie d'être avec lui. Quelquefois la réponse est oui, d'autres fois non. C'est lui qui s'engage le plus rapidement dans la relation, mais il désire trop vite mettre son âme à nu devant elle. Cela peut lui plaire et la séduire, mais tous les deux auraient intérêt à analyser la nature de leurs sentiments avant de plonger. Ils sont très inconstants, mais une fois qu'ils se sont mis d'accord, ils donnent l'image d'un couple en apparence parfait. Sauver ces apparences sera pourtant parfois compliqué. Il arrivera toujours un moment où l'un des deux partira à la dérive, et ce sera long et difficile pour l'autre de le ramener à bon port. C'est de cette façon qu'ils peuvent se perdre, en se retrouvant hors de portée l'un de l'autre sans vraiment comprendre ce qui a bien pu les séparer ainsi.

Au lit : Si l'esprit pénétrant de la femme Gémeaux arrive à sonder les profondeurs de l'âme de l'homme Poissons sans trop le déconcerter, ensemble ils pourront recréer l'image d'un idéal masculin-féminin, et plus encore. Sexuellement, ils sont très attirés l'un par l'autre et devinent d'instinct qu'ils pourront mettre le feu à la chambre à coucher. C'est d'ailleurs ce qu'ils feront, au moins une fois, parce qu'ils sont ensorcelés par leur sex-appeal respectif. Pourtant, à la fin de l'expérience, aucun des deux ne devrait être trop surpris si l'autre s'éclipse discrètement. L'homme Poissons est à la recherche d'une relation aussi bien physique que sentimentale avec sa partenaire. Il veut ressentir son plaisir et ne se satisfait pas de l'entendre dire qu'elle a passé un très bon moment en sa compagnie. Les bavardages coquins de la femme Gémeaux peuvent le distraire et lui faire perdre ses moyens, surtout s'il a le moindre doute sur sa sincérité. Il y a peu de chance que lui-même soit honnête quant aux véritables raisons de sa nervosité. De son côté, elle a besoin d'être sûre que leur relation n'est pas purement physique. Le silence de son partenaire peut la déconcerter. Elle voudrait un gage d'amour, ou même simplement un mot d'approbation. Leur liaison prend un bon départ, mais leur incertitude risque de la dynamiter au lieu de la dynamiser.

L'**HOMME GÉMEAUX** AMOUREUX

L'homme Gémeaux est un vrai charmeur, attirant, à la fois romantique et viril. Il a énormément de choses à donner, mais la constance, la tranquillité et la sécurité n'en font pas partie. Comme il est passé maître dans l'art du langage et de la communication, ses déclarations poétiques sur l'amour éternel peuvent faire fondre le cœur de la plus glaciale des femmes. Il parle comme un livre, mais il est plus doué pour baratiner que pour agir. C'est ce dont une femme devra se souvenir lorsqu'il lui posera un lapin ! Il sait qu'il est doué pour trouver les mots justes et il se sert toujours de ce don pour se tirer d'affaire. Comme tous les Gémeaux, il a une double personnalité. Lors d'un rendez-vous, si sa partenaire est d'humeur romantique, elle peut avoir l'impression qu'il a la tête ailleurs ; en fait, il lui arrive de se montrer un peu distant. S'il tombe amoureux d'une femme (ce qui est possible, même si le mot « engagement » est à éviter), alors, malgré tout ce que l'on peut dire sur son côté dualiste et tricheur, il sera loyal. Certes, c'est un incorrigible charmeur, et il arrive qu'il soit amoureux de plusieurs femmes en même temps, mais une seule sera l'objet de ses fidèles et romantiques attentions. Il aime la diversité, mais une fois que son choix est fait, il reste avec l'heureuse élue. Il a besoin qu'une femme lui donne sa confiance et sait s'en montrer digne, cependant il a aussi besoin de respirer et apprécie la compagnie de ses amies féminines. Il n'est ni suspicieux, ni jaloux, ni possessif, ces sentiments lui sont étrangers. C'est pourquoi il n'aura que peu de patience envers quelqu'un qui les développerait à son égard. Sa partenaire doit accepter que s'il rencontre une personne intéressante, il ait envie de discuter avec elle. Peu importe que la personne en question ait l'air d'un top-modèle ou d'une clocharde. Sa femme idéale est raisonnable, légèrement distante et a une conversation passionnante. Évidemment, elle doit également s'intéresser à lui : si elle se contente de lui poser des questions machinales sur sa journée ou si elle dénigre ses centres d'intérêt comme étant « des trucs de mecs », il réalisera rapidement qu'elle ne l'aime pas réellement. Bien qu'il affirme partager leurs sentiments, il fait souffrir beaucoup des femmes qui tombent amoureuses de lui. Jusqu'à ce qu'il soit vraiment sûr de lui, il peut prendre n'importe quelle direction. Si sa partenaire commence à faire des projets, il partira en courant. Bien sûr, il est impossible de contrôler les élans du cœur, pourtant cet homme a besoin de relever des défis. Rien de très difficile : il doit sentir que la partie n'est pas gagnée d'avance et qu'il doit conquérir le cœur de sa bien-aimée. Il aime par-dessus tout qu'une femme le défie intellectuellement. C'est cette émulation qui fait durer leur relation, bien qu'une partie de jambes en l'air constitue un bonus appréciable ! Même au lit, l'homme Gémeaux a besoin qu'on lui titille les neurones autant que le reste du corps.

HOMME GÉMEAUX ET **FEMME BÉLIER**

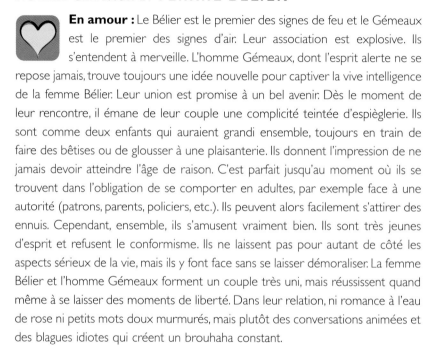

En amour : Le Bélier est le premier des signes de feu et le Gémeaux est le premier des signes d'air. Leur association est explosive. Ils s'entendent à merveille. L'homme Gémeaux, dont l'esprit alerte ne se repose jamais, trouve toujours une idée nouvelle pour captiver la vive intelligence de la femme Bélier. Leur union est promise à un bel avenir. Dès le moment de leur rencontre, il émane de leur couple une complicité teintée d'espièglerie. Ils sont comme deux enfants qui auraient grandi ensemble, toujours en train de faire des bêtises ou de glousser à une plaisanterie. Ils donnent l'impression de ne jamais devoir atteindre l'âge de raison. C'est parfait jusqu'au moment où ils se trouvent dans l'obligation de se comporter en adultes, par exemple face à une autorité (patrons, parents, policiers, etc.). Ils peuvent alors facilement s'attirer des ennuis. Cependant, ensemble, ils s'amusent vraiment bien. Ils sont très jeunes d'esprit et refusent le conformisme. Ils ne laissent pas pour autant de côté les aspects sérieux de la vie, mais ils y font face sans se laisser démoraliser. La femme Bélier et l'homme Gémeaux forment un couple très uni, mais réussissent quand même à se laisser des moments de liberté. Dans leur relation, ni romance à l'eau de rose ni petits mots doux murmurés, mais plutôt des conversations animées et des blagues idiotes qui créent un brouhaha constant.

Au lit : La femme Bélier est maligne, mais l'homme Gémeaux l'est aussi, et ses belles paroles la conduisent dans son lit avant même qu'elle ne réalise ce qui lui arrive. Ou alors, si elle s'en rend compte, elle le laisse faire quand même, car elle adore s'amuser. Le Gémeaux est un amant distrayant et imprévisible, et avec lui, on ne s'ennuie jamais sous la couette. Cela suffit à satisfaire la soif d'imprévu de la femme Bélier. Elle est fascinée par l'habileté avec laquelle le Gémeaux passe d'une zone érogène à une autre, et surprise par le rythme inhabituel qu'il insuffle à leurs ébats. Il adore la pureté sans compromis de sa passion et l'enthousiasme avec lequel elle répond à ses caresses expertes. Le Gémeaux est connu pour ses humeurs vagabondes, mais la femme Bélier ne lui laissera pas l'occasion de se disperser pendant qu'elle s'emploiera à satisfaire ses appétits sexuels. Le seul endroit où son esprit est autorisé à s'égarer quand il est avec elle, c'est sur son corps. Ils vont merveilleusement bien ensemble. Le Gémeaux est très habile de ses mains et elle aime lorsqu'il la caresse partout. Avec son énergie débordante et son adresse aux jeux de l'amour, il est l'amant dont elle rêvait et elle sait très bien le rendre fou de désir.

HOMME GÉMEAUX ET **FEMME TAUREAU**

 En amour : Ce n'est pas une histoire d'amour impossible, mais la femme Taureau demandera sûrement à l'homme Gémeaux beaucoup plus qu'il ne peut offrir. Gémeaux et Taureau, c'est un peu comme le jour et la nuit ; cependant, sur la roue du zodiaque ils sont côte à côte. Cela signifie qu'ils ont plus de points communs qu'il n'y paraît à première vue. Si l'étincelle entre eux se produit, leur relation sera très spéciale. L'approche très directe de la femme Taureau peut aider le Gémeaux insouciant à redescendre sur Terre, et la bonne humeur fantasque de celui-ci mettra certainement du piment dans la vie de sa partenaire. Il est impressionné par son goût de la beauté et son sens artistique. Elle se régale de ses conversations pleines d'esprit. Le bouillonnement d'idées du Gémeaux apporte une dimension nouvelle à la femme Taureau, habituée aux pensées plus concrètes. De ce point de vue, leur relation est bénéfique pour tous les deux et ils forment un couple haut en couleur et dynamique. La question est : la femme Taureau ne va-t-elle pas perdre patience ? En effet, alors que son unique désir est de se relaxer, le Gémeaux, lui, ne cherche qu'à assouvir sa soif inépuisable de nouveaux visages, de nouveaux endroits et de nouveaux centres d'intérêt. Pour parler comme un Gémeaux, la réponse est : « Peut-être bien que oui, peut-être bien que non. » En ce qui le concerne, rien n'est jamais définitif, à moins qu'ils signent tous les deux un pacte. En langage Taureau, cela signifie « s'engager », mais c'est un mot sujet à une multitude d'interprétations de la part du Gémeaux.

 Au lit : L'homme Gémeaux a quelques idées sur la façon de varier les plaisirs et s'il en fait profiter la femme Taureau, en échange elle saura lui faire sentir qu'il est un homme, un vrai. Elle-même pourrait enseigner à un adepte du tantrisme quelques trucs sur l'endurance et la retenue. Si elle applique ces méthodes au Gémeaux, elle peut réellement le conduire à un niveau d'extase extrême. Entre les draps, sur la table de la cuisine ou en plein air dans la cour, la femme Taureau a beaucoup à offrir au Gémeaux. S'il prend la peine de s'intéresser à elle suffisamment longtemps, il lui sera immensément reconnaissant du grand frisson qu'elle lui procurera. Pour être en condition de donner du plaisir à sa partenaire, il a besoin de stimulation autant intellectuelle que physique. Mais il sait aussi flatter l'imagination de la femme Taureau, l'autorisant à se laisser aller tandis qu'il lui murmure des histoires fantastiques d'amour et de luxure. Cependant, à le voir papillonner dans une pièce, bavardant avec toutes les jolies plantes qu'il croise, on peut penser que c'est la jalousie plutôt que la passion de sa femme Taureau qu'il risque d'éveiller. Si leur amour résiste à l'attitude charmeuse de l'un et à la possessivité extrême de l'autre, ils pourront être très fiers d'eux.

HOMME GÉMEAUX ET **FEMME GÉMEAUX**

Voir pages 57-58.

HOMME GÉMEAUX ET **FEMME CANCER**

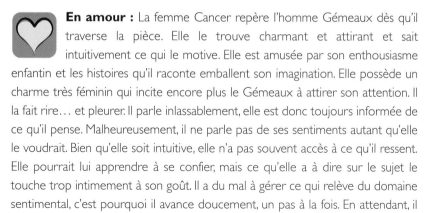 **En amour :** La femme Cancer repère l'homme Gémeaux dès qu'il traverse la pièce. Elle le trouve charmant et attirant et sait intuitivement ce qui le motive. Elle est amusée par son enthousiasme enfantin et les histoires qu'il raconte emballent son imagination. Elle possède un charme très féminin qui incite encore plus le Gémeaux à attirer son attention. Il la fait rire… et pleurer. Il parle inlassablement, elle est donc toujours informée de ce qu'il pense. Malheureusement, il ne parle pas de ses sentiments autant qu'elle le voudrait. Bien qu'elle soit intuitive, elle n'a pas souvent accès à ce qu'il ressent. Elle pourrait lui apprendre à se confier, mais ce qu'elle a à dire sur le sujet le touche trop intimement à son goût. Il a du mal à gérer ce qui relève du domaine sentimental, c'est pourquoi il avance doucement, un pas à la fois. En attendant, il

peut faire découvrir à la femme Cancer le plaisir d'une relation légère. Il a beaucoup d'amis et sait surfer sur les vagues de la vie. Mais ce faisant, il risque de simplement effleurer la surface des émotions de sa partenaire, provoquant des vagues qui l'excitent sans jamais la toucher profondément. Si la sensation est agréable, il faut qu'ils en profitent. Toutefois, ils devraient apprendre à exprimer leurs sentiments d'une façon claire pour tous les deux.

 Au lit : L'homme Gémeaux aime chatouiller et titiller du bout des doigts ou avec une plume. Même lorsque c'est la femme Cancer qui prend l'initiative (ce qu'elle fait souvent), il garde le contrôle des opérations. Il n'est jamais à court d'idées pour trouver de nouveaux jeux, des lieux inédits ou de nouvelles positions. Ses préliminaires sont si agréables qu'ils affolent sa partenaire, l'entraînant encore et encore au bord de l'extase. Elle pourrait même se découvrir exigeante, impatiente, voire suppliante pendant leurs ébats. Il sait vraiment s'amuser. Elle prendra beaucoup de plaisir à rester allongée alors qu'il promène ses mains sur son corps, réveillant au passage des zones érogènes dont elle ne connaissait rien avant de le rencontrer. Elle voudrait lui procurer autant de plaisir qu'il lui en donne, mais il est si habile et inventif qu'il occupe tout le terrain. Cela l'excite de constater l'effet qu'il produit sur sa charmante partenaire. Face à cette énergie et à cet enthousiasme sans limites, elle peut avoir, à tort, le sentiment qu'elle n'est pas à la hauteur. Elle doit apprendre à accepter le fait qu'il soit très doué pour la bagatelle, car, après tout, c'est un talent qu'il adore partager. Pourtant, son habileté, son sens du jeu et du divertissement ne la touchent qu'en surface et elle pourrait finir par se sentir frustrée dans son désir d'une relation sentimentale intense.

HOMME GÉMEAUX ET **FEMME LION**

En amour : La femme Lion ressent toutes les bonnes vibrations que génère la présence de l'homme Gémeaux. Elle est une femme de cœur et l'esprit vif du Gémeaux lui donne de nombreuses occasions de laisser éclater son rire généreux. Il y a beaucoup d'espièglerie dans leur relation. Elle apprécie la manière dont il répond à ses taquineries. Quand elle l'enveloppe de cette chaleur radieuse qui la caractérise, il tombe à ses pieds et lui offre son cœur. Il faut dire que le simple fait de se trouver en compagnie de cette femme royale est un privilège. Il se sent honoré et flatté de faire naître ce sourire éclatant sur son visage. Tous les deux deviennent spontanément amis et se donnent une grande liberté pour exprimer sans compromis leur personnalité unique. Pourtant, les compromis sont nécessaires entre un homme Gémeaux et une femme Lion ! En certaines occasions, les manières désinvoltes du Gémeaux paraîtront un peu inconsistantes à sa partenaire et, par moments, la forte personnalité et le dynamisme de la femme Lion seront susceptibles d'écraser l'ego plus fragile de l'homme Gémeaux. Elle est exigeante et il est parfois un peu dans les nuages. D'ailleurs, plus elle montre cette exigence, plus il devient farfelu. Ensemble, ils doivent convenir d'une limite à ne pas franchir. Avec toute l'admiration et tout le respect qu'ils se portent, ils devraient facilement tomber d'accord. Leur histoire d'amour a l'avenir devant elle, tant qu'ils auront tous les deux conscience de leur attitude quelquefois provocatrice et tant qu'ils sauront se prodiguer de généreuses marques d'affection.

Au lit : La passion et la chaleur que dégage la femme Lion dans une chambre à coucher enflamment son partenaire comme un incendie dans une nuit claire. Quand la femme Lion est excitée, elle brûle d'un désir sensuel presque indescriptible, mais l'homme Gémeaux est à la hauteur. Amoureux de la liberté, il n'est pas du genre à la mettre en cage, il préfère la charmer et l'exciter. Il attise en expert sa lubricité, jusqu'à la transformer en créature dévergondée et déchaînée. Le résultat pourrait même dépasser ses espérances, car « dompter un Lion » n'est pas un exercice auquel il a été préparé. Il est évident qu'elle est très excitée à l'idée de faire du Gémeaux son repas, mais l'avaler tout cru ne ferait qu'aiguiser ses appétits. S'il se laisse guider, elle saura, mieux que personne, lui apprendre à tenir ses promesses sexuelles. Elle est séduite par son enthousiasme et il adore qu'elle ne puisse pas se passer de lui.

Homme Gémeaux et FEMME VIERGE

 En amour : La femme Vierge s'anime au contact des conversations du Gémeaux et est impressionnée par sa rhétorique et ses observations pertinentes. Il cherche à éveiller son intérêt dans le but qu'elle accepte une discussion plus intime et plus poussée. Elle a trouvé son *alter ego* intellectuel : leurs deux intelligences se valent, bien qu'elles soient de nature différente. L'intérêt évident qu'elle lui porte le flatte et le rassure. L'adoration qu'ils éprouvent l'un pour l'autre sera le moteur de leur relation. Sur le plan intellectuel, ils sont tous les deux affairés comme des abeilles, mais le Gémeaux a tendance à en faire trop, passant en bourdonnant d'un sujet à l'autre. Il peut ainsi se révéler aussi énervant qu'une guêpe. Il se comporte également de cette façon en amour : beaucoup d'esbroufe et peu de consistance. Bien que le rire s'installe facilement entre eux, elle n'arrive pas réellement à explorer avec lui le côté émotionnel de leur relation aussi sérieusement qu'elle le souhaiterait. Du point de vue du Gémeaux, les analyses détaillée auxquelles se livre la Vierge ressemblent à une souricière. Elles ont pour résultat d'exacerber son désir frénétique de liberté, ce qui angoisse la Vierge. Leur relation est soumise à trop de tension nerveuse de part et d'autre pour être très agréable. À moins qu'ils ne fassent des efforts, après avoir voleté, papillonné et bourdonné l'un autour de l'autre pendant quelque temps, l'un des deux finira par s'envoler définitivement.

 Au lit : Parce qu'elle adhère à son humour et qu'elle est totalement séduite par son aisance et sa rapidité à communiquer, l'homme Gémeaux n'aura aucun mal à attirer une Vierge prise de fou rire jusqu'à sa chambre à coucher. Il est évident, quand on les voit tous les deux, que le rire est un puissant aphrodisiaque. La femme Vierge est fascinée et sexuellement attirée par le Gémeaux. Son plus grand souhait est de le connaître plus intimement. Pourtant, lorsqu'il est allongé près d'elle, prêt à faire l'amour, il ne sait plus très bien comment se comporter. Il va certainement lui murmurer à l'oreille quelque fantasme érotique pour l'allumer un peu et ensuite, elle fera probablement la même chose avec lui. Ils ont tous les deux les mêmes techniques de séduction et inévitablement, cela paraîtra un peu ennuyeux au Gémeaux. La Vierge, quant à elle, trouvera une fois de plus que son homme manque de profondeur. De son point de vue, les fantasmes ne fonctionnent que lorsqu'ils peuvent, au moins un petit peu, se réaliser. Intellectuellement, le Gémeaux est vraiment sur la même longueur d'onde que sa maîtresse Vierge, mais physiquement, ils ne s'entendent pas aussi bien. Toutefois, comme ils sont tous les deux très imaginatifs, ils peuvent très bien éveiller le désir de leur partenaire en lui ménageant quelques surprises. Si l'amour est présent, ils trouveront le chemin d'une relation physique harmonieuse. Le sentiment fort qui les unit nourrira de nombreuses nuits d'érotisme passionné.

HOMME GÉMEAUX ET **FEMME BALANCE**

 En amour : L'homme Gémeaux et la femme Balance virevoltent l'un autour de l'autre comme un couple de colibris qui viendrait de trouver du nectar. Ils aiment se retrouver en compagnie d'une personne qui partage la même approche, claire et insouciante, de la vie. La femme Balance, qui aime la complicité intellectuelle, n'est jamais à court de sujets de conversation avec le Gémeaux, et ce dernier reste suspendu à ses lèvres. Souvent, l'aube pointe avant qu'ils soient fatigués de leurs brillants dialogues. D'ailleurs, ils sont tellement sur la même longueur d'onde que, quelquefois, les mots sont superflus. Le Gémeaux, fantasque et agité, peut, il est vrai, mettre en péril l'équilibre de la Balance, mais elle trouve son dynamisme si irrésistible que cela ne semble pas la gêner. Un futur incertain aux côtés de son homme Gémeaux vaut mieux qu'un futur sans lui. Seuls les problèmes pratiques du quotidien ternissent leur bonheur parfait. L'aisance, l'élégance et le charme de la femme Balance captivent le Gémeaux et retiennent son attention, si bien qu'il n'a plus autant besoin d'avoir ses propres activités, seul de son côté. Elle l'incite à créer un univers magique pour tous les deux. Ils ont tellement d'affinités que rien ne peut les distraire lorsqu'ils sont ensemble. Leur relation est nimbée de douceur.

 Au lit : Lorsqu'une femme Balance raconte ses fantasmes à un homme Gémeaux, il frémit en constatant combien ils ressemblent aux siens. Il fera tout ce qui est en son pouvoir pour lui plaire et les réaliser. Même si certaines choses lui échappent, ils finissent par se rouler partout dans la chambre en riant et leurs ébats sont des moments de joie pure. Lorsqu'il effleure son corps de ses doigts habiles, la douceur qu'elle dégage l'invite à continuer, à aller plus loin, à planer plus haut. L'idéal romantique qu'ils ont en tête tous les deux se manifeste dans le tourbillon sensuel et érotique qui les emporte sur les ailes de la passion. L'insoutenable légèreté de l'être ressentie quand leurs corps s'emmêlent les rapproche de cet idéal au-delà de leurs espérances. Ils atteignent souvent l'orgasme en même temps et flottent dans la lumière divine du septième ciel. L'homme Gémeaux est expert dans l'art de propulser sa dame Balance dans les hautes sphères du plaisir. Elle le suit jusqu'au bout, et l'accompagne même plus haut qu'il n'aurait pu l'imaginer dans ses rêves les plus fous. L'osmose entre eux est telle qu'ils ne forment plus qu'un être unique, ce qui représente un exploit considérable pour le Gémeaux, dualiste par nature. Pourtant, leur parcours sera certainement semé de quelques embûches. Tôt ou tard, l'un ou l'autre, voire les deux, devra sortir du lit, s'habiller et se coltiner les factures.

HOMME GÉMEAUX ET **FEMME SCORPION**

 En amour : Au départ, l'homme Gémeaux et la femme Scorpion peuvent ressentir une certaine attirance l'un pour l'autre. Il possède des qualités séduisantes et elle a un sex-appeal qui ne le laisse pas indifférent. Il est également possible que leur façon si différente d'envisager la vie leur ouvre mutuellement de nouvelles perspectives sur le monde. Cependant, fondamentalement, ils sont aussi différents que le jour et la nuit. C'est un miracle lorsqu'ils tombent d'accord sur un sujet ! Il sera très difficile pour elle de créer avec le Gémeaux cette intimité profonde qu'elle recherche. Lui risque de se sentir un peu étouffé par le caractère intense et possessif de sa partenaire. La femme Scorpion veut être absolument sûre que le lien qui les unit est indéfectible. Cela a pour résultat de rendre le Gémeaux encore plus instable, voire de le faire fuir, ce qui est exactement l'opposé de ce qu'elle recherche. Il n'y a rien de surprenant, dès lors, à ce qu'ils finissent par s'observer avec méfiance. Il y a peu de chances pour que leur union soit heureuse et durable, à moins, bien sûr, que d'autres éléments de leur horoscope indiquent qu'ils sont compatibles. Par exemple, il peut faire partie de ces Gémeaux atypiques qui n'aiment pas se disperser, et elle peut être une de ces rares femmes Scorpion qui laissent la bride sur le cou à leur partenaire. En apparence, il n'y a pas beaucoup d'éléments qui permettent d'encourager leur relation, mais sous la surface pourrait bien se créer un de ces liens miraculeux capables de les unir.

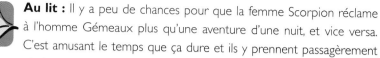

Au lit : Il y a peu de chances pour que la femme Scorpion réclame à l'homme Gémeaux plus qu'une aventure d'une nuit, et vice versa. C'est amusant le temps que ça dure et ils y prennent passagèrement beaucoup de bon temps ; par la suite, seul l'attrait diabolique de ces aventures d'un soir les pousse encore l'un vers l'autre. Aucun des deux ne devrait jamais rejeter l'autre, cependant. La femme Scorpion est très sexy et elle est animée du désir d'entraîner son partenaire vers un puits insondable de passion, mais, en règle générale, le Gémeaux ne fait simplement pas le poids. Pourtant, quelquefois, il est tellement coquin qu'elle ne peut résister à l'envie de se joindre à ses pitreries malicieuses. Quant au Gémeaux, cette intensité dans la sexualité dont fait preuve la femme Scorpion est pour lui quelque peu étouffante. Il a besoin qu'on le laisse respirer pour comprendre ce qui se passe. Au mieux, ils prendront l'habitude de rejouer leur première rencontre, ce qui est une perspective très agréable ; au pis, elle se demandera à quel moment elle peut commencer à feindre l'orgasme pour qu'il s'en aille au plus vite.

HOMME GÉMEAUX ET **FEMME SAGITTAIRE**

En amour : La relation entre l'homme Gémeaux et la femme Sagittaire est un mélange d'excitation et d'aventure. Rien n'est jamais monotone lorsqu'ils sont ensemble. Ils s'amusent de tout, même d'une dispute ! Qu'ils discutent dans un café, dansent jusqu'à l'aube ou fassent l'amour sur une plage, ils savent qu'ils y prennent tous les deux autant de plaisir. Ce sont deux opposés qui exercent l'un sur l'autre une attraction fatale. Voilà une femme qui sait rendre la monnaie de sa pièce au Gémeaux épris de liberté. Elle mène une vie active et poursuit ses ambitions avec résolution. Elle est chaleureuse et généreuse, et est toujours d'accord pour qu'il la rejoigne n'importe quand. Cependant, il ne faut pas qu'il s'attende à ce qu'elle poireaute ou le supplie de s'engager. C'est ce qu'il apprécie chez elle : elle prend la vie comme elle vient. La plupart du temps, il désire la rejoindre dans ses aventures impromptues et l'invite à partager les siennes. C'est pourquoi on les voit souvent tous les deux partir en vadrouille en riant aux éclats, la musique à fond. Ils parcourent ainsi gaiement les chemins de la vie sans jamais se laisser abattre par les difficultés. Comme ils ne s'ennuient jamais ensemble, il est peu probable que l'un ou l'autre trouve une bonne raison de rompre. Une relation aussi fantastique est rare, surtout pour deux esprits libres comme eux. Si parfois ils vagabondent l'un sans l'autre, ce n'est jamais trop loin ni trop longtemps.

 Au lit : La femme Sagittaire adore la façon dont l'homme Gémeaux frémit sous ses caresses. La rapidité avec laquelle elle s'enflamme lorsqu'il fait danser ses doigts sur sa peau nue le laisse sans voix. Leur relation n'est pas à sens unique. Ils aiment être constamment stimulés intellectuellement, spirituellement et physiquement. Faire l'amour est une expérience hautement significative, qui laisse leurs corps pantelants et frémissants d'amour cosmique. Avec son esprit aventurier et insatiable, la femme Sagittaire adore explorer le corps de son Gémeaux. Il se montre très réceptif lorsqu'elle découvre des territoires jusqu'ici inexplorés et cette femme intrépide ne craint pas d'aller où aucune femme n'est allée avant elle. Elle est étrangement précise quand il s'agit de deviner ce qui émoustille son partenaire, un peu comme si les pensées et les désirs de ce dernier pénétraient, telles des flèches, dans son cerveau. En tant que femme-archer, elle sait très bien manier le carquois de l'amour et tirer dans le mille. De son côté, il sait entretenir le désir de sa partenaire et la faire monter au septième ciel. Cependant, distraite par ses bavardages incessants, elle devra peut-être grimper jusqu'à l'aube avant d'atteindre les sommets. Leur énergie sexuelle est si intense qu'ils mettront toute la nuit à l'épuiser. Il leur est presque impossible de ne pas se toucher, même quand ils dorment.

HOMME GÉMEAUX ET FEMME CAPRICORNE

En amour : L'homme Gémeaux peut réveiller l'espièglerie de la femme Capricorne, tandis qu'elle peut lui apporter plus de stabilité. Ce n'est pas souvent qu'elle rencontre un être capable de bousculer son tempérament sérieux. Il est tout aussi rare que le Gémeaux rencontre quelqu'un avec qui il se sente presque rangé. Son sens de l'humour léger et joyeux est contagieux et il apprécie lorsqu'elle trouve les mots pour exprimer sa forte personnalité. Ils aiment tous les deux rire de l'absurdité de la vie et les plaisanteries qu'ils s'envoient sont le moteur de leur relation. La femme Capricorne, très terre à terre, trouve quelquefois le Gémeaux un peu trop farfelu. Elle sait ce que vaut une bonne idée, mais n'a que faire d'une ingéniosité sans limites qui n'aurait pas d'application concrète. Il est impressionné par ses aspirations, mais s'impatiente quand elle a besoin d'un solide escalier pour s'élever alors que lui peut se laisser pousser des ailes et voler. Cela ne le gêne pas que ses visites au sommet ne soient que fugaces. Bien qu'elle mette plus de temps pour monter, une fois qu'elle est en haut, elle y reste en permanence, loin au-dessus de tout. D'une certaine façon, ils forment une équipe parfaite, chacun apportant quelque chose dont l'autre manque, et ils s'admirent profondément pour cela.

 Au lit : L'homme Gémeaux est un moulin à paroles, au lit comme partout ailleurs. Pour la femme Capricorne, la ruse va consister à le faire taire pour qu'il commence à la caresser. Bien qu'elle apprécie son besoin d'intellectualiser leurs ébats et lui fasse plaisir patiemment, cela peut devenir frustrant de l'attendre tandis qu'il s'excite tout seul. Le temps qu'il se mette en route, elle est déjà presque arrivée. Heureusement, en tant que Capricorne, elle est capable de se contrôler. C'est une femme très physique. Elle désire qu'il se rapproche davantage et partage plus d'intimité avec elle. Elle pourra certainement l'aider dans cette voie en lui lisant des poèmes ou des histoires érotiques, ce qui constitue un préliminaire parfait pour répondre aux fantasmes du Gémeaux. Mais celui-ci a toujours besoin d'une échappatoire et même s'il ne rêve que de se jeter sur son amoureuse et de plonger en elle, il fait comme si cela ne lui venait même pas à l'idée. Lorsque, finalement, il se décide, il la prend par surprise. Toutefois, sans cette montée régulière du désir dont elle a besoin, il se peut que tout soit terminé avant qu'elle soit à mi-chemin de l'extase. Dans ces moments-là, sa capacité à prendre les commandes et son étreinte solide peuvent s'avérer utiles. Le seul problème est qu'il trouve cela si intensément érotique qu'il pourrait passer par-dessus bord avant qu'elle puisse l'attraper !

HOMME GÉMEAUX ET **FEMME VERSEAU**

 En amour : Quel couple merveilleux ! On dit que le temps passe trop vite lorsqu'on s'amuse. Si c'est vrai, alors ces deux-là seront vieux et grisonnants avant de s'en apercevoir ! Pour eux, la vie s'écoule à une allure impressionnante, dans un tourbillon d'amour et de rire. Ils passent plus d'une nuit à bavarder et roucouler comme deux tourtereaux au printemps. Mais ce ne sont pas seulement des conversations légères et frivoles ; ils se lancent aussi dans des discussions philosophiques si étranges et psychédéliques qu'ils ont l'impression d'être les premiers à parcourir ces contrées de l'esprit. Bien qu'ils soient très amoureux, on ne les verra jamais se bécoter dans un coin de rame de métro ou à l'arrière d'un bus : ils sont trop occupés à bavarder. Tous les deux savent écrire de beaux poèmes romantiques et le font souvent, jusque dans les petits mots et les messages qu'ils s'envoient. Leur amour est de ceux qui n'a pas besoin de démonstrations permanentes. La seule ombre au tableau de leur union presque parfaite est que l'homme Gémeaux peut, à l'occasion, se montrer évasif, et la femme Verseau détachée. De ce fait, au départ, l'évolution de leur relation de l'amitié vers l'amour a un caractère un peu aléatoire. Mais une fois qu'ils sont amoureux, ils réalisent quel trésor ils possèdent. Leur gaieté et leurs rires sont une immense richesse.

 Au lit : L'amour physique entre l'homme Gémeaux et la femme Verseau est une expérience à couper le souffle, qui apporte son lot de surprises et d'émerveillement. Elle a plus d'un tour dans son sac, particulièrement parce qu'elle est incroyablement inventive. On peut lui faire confiance pour attirer l'attention du Gémeaux de la façon la plus originale et lui n'a jamais rencontré personne comme elle. Certains diraient qu'elle est une amoureuse un peu loufoque. Sa manière d'alterner toutes les positions possibles et imaginables embrase littéralement son partenaire Gémeaux. Elle est celle qui lui donne l'expérience ultime du grand frisson et elle adore constater à quel point il aime ça. C'est un amant espiègle et elle ne devrait pas se sentir gênée en sortant ses gadgets. Si elle n'en possède pas encore, une balade au sex-shop devrait constituer une sortie en couple stimulante et hilarante. Ils forment une belle équipe : la femme Verseau est réellement l'*alter ego* de l'homme Gémeaux au jeu des conversations préliminaires. Lorsqu'ils sautent ensemble dans un lit, ils ont la sensation partagée d'une totale liberté. Leurs prouesses sexuelles ne seront inscrites sur aucun carnet de notes, ils peuvent donc se défaire de tout complexe et de toute angoisse sur leurs performances. Le résultat est vraiment fantastique et vibrant de sensualité.

HOMME GÉMEAUX ET **FEMME POISSONS**

 En amour : L'homme Gémeaux et la femme Poissons semblent flotter et glisser l'un vers l'autre en une danse merveilleuse. Ils aiment tous les deux envisager la vie sous plusieurs angles ; les pensées de l'homme Gémeaux ont de l'amplitude, celles de la femme Poissons de la profondeur, donc, à eux deux, ils remplissent tout l'espace. Elle l'intrigue et le trouble, ce qu'il trouve terriblement attirant. Il est toujours prêt à s'amuser et adore les énigmes, surtout celles aussi déconcertantes que la femme Poissons. Mais à moins qu'il n'arrive à la décrypter, ne serait-ce qu'en partie, il risque de s'en détourner pour aller vers quelque chose de plus logique et de plus compréhensible. De son côté, elle le trouve quelque peu désinvolte et superficiel. Alors que ses paroles suggèrent qu'il la comprend, ses actes manquent de conviction. Elle est hypersensible et il a l'impression, dans sa relation avec elle, de marcher sur des œufs : pour quelqu'un habitué à traverser la vie avec légèreté, c'est assez angoissant. Il y aura donc toujours dans leur couple des points sur lesquels ils ne s'entendront pas. Avant de plonger dans cette relation la tête la première, il serait un peu plus sage d'attendre que quelque chose de mieux se présente. Tout dépend des efforts qu'ils sont prêts à fournir, mais il y a peu de chances pour que l'un et l'autre s'impliquent très longtemps dans cette histoire. Pour cela, il faudrait que le Gémeaux soit capable de se taire et respecte la profondeur des sentiments de sa partenaire, au moins assez longtemps pour pénétrer son mystère et expérimenter la vraie signification de l'expression « faire l'amour ». Ou bien alors, il faudrait que la femme Poissons s'adapte au besoin qu'a l'homme Gémeaux de tout verbaliser et se contente de savourer en paix les moments où elle se retrouve seule.

 Au lit : Entre eux, l'attirance sexuelle est immédiate, mais plus fondée sur la curiosité que sur la passion. L'homme Gémeaux est curieux par nature. Ensemble, ils éprouvent un frisson de plaisir à l'idée des possibilités qui s'offrent à eux et c'est un aphrodisiaque assez puissant pour les entraîner jusque dans une chambre à coucher. Une fois au lit, la femme Poissons est vraiment capable de le séduire. Il adore sa sensualité fluide, la façon extraordinaire dont elle le touche et sa manière de s'abandonner rêveusement dans ses bras. Mais il y a des chances pour que le Gémeaux n'ait pas l'opportunité de réaliser les fantasmes de sa partenaire, bien qu'ils lui fassent dresser autre chose que les cheveux sur la tête. En effet, elle refusera certainement de se livrer à quelqu'un qui serait seulement de passage. Cela ressemble un peu à une désillusion ? C'est possible, mais le Gémeaux est très rusé et très vif : il pourrait fondre sur sa proie sans sommation. Et à ce moment-là, il lui prouvera combien il est doué.